Egmont und Klärchen

See page 62

Heath's Modern Language Series

Goethes

Egmont

EDITED WITH AN INTRODUCTION AND NOTES

BY

JAMES TAFT HATFIELD
PROFESSOR OF THE GERMAN LANGUAGE AND LITERATURE IN NORTHWESTERN UNIVERSITY

D. C. HEATH & CO., PUBLISHERS
BOSTON NEW YORK CHICAGO

3 G 3

Printed in U. S. A.

PREFACE.

THIS edition, begun eight years ago, has been worked upon with fair persistency. It is designed for the practical use of American students as they are.

In securing a pure text — which has been a chief aim — and materials for its elucidation, I have had much help from the authorities mentioned in the Bibliographical Notc. Professor Curme, my tried colleague, has given valued advice at many points. I express personal thanks, also, to the Librarians of the National Library in Berlin and of Columbia University in the City of New York for the use of original materials for illustration.

J. T. H.

EVANSTON, ILLINOIS
1904

INTRODUCTION.

I. THE SPIRIT OF GOETHE'S EGMONT.

EGMONT is, by right, a young people's drama. It was the work of a splendid youth at the full sun-burst of his dawning powers, and into which he put his very heart and soul.

Twelve years later, when Goethe was giving his play its last revision, he fell in love with it because it brought back, as nothing else could do, those stirring hours when the tide of his young life had run so full and deep; under this influence he wrote: "Everything that I take hold of goes of itself; a breeze out of the days of my youth often seems to blow upon me." His strongest hope for the play was that it might make a "fresh" impression.

The student will perhaps bear with one suggestion just at this point, namely that his study of *Egmont* will prove rather a dead and profitless thing unless he can surrender himself so unreservedly to this contagious spirit as to become its victim and its mouthpiece.

Goethe made *Egmont* the outlet for emotions which were racking him almost beyond endurance. In 1775 (thanks to Rousseau) there was in the air a belief that the open expression of intense natural feeling was the very promise of a new golden age. Glowing, open-hearted sentiment, not cold intellect, was to bring all men together as brothers and to abolish misery and oppression. "We have borne the yoke too long; freedom at any cost!" was the watchword of those days of "Storm and Stress."

To be sure, when Goethe came to know life better, he put self-denial first and personal liberty after; he came to admit — as people are likely to do — that some of these enthusiasms were „studentenhaft": the happy thoughtlessness and unrestrained joy of living got into fatal collision with the thoughtful prudence of maturity; the generous hatred of pedantic rules was seen to be largely a rebellion against any law whatever, — and yet we can hardly believe that Goethe ever really condemned these younger outbreaks. He recognized, for all his riper wisdom, the truth that, were it not for occasional explosions of natural force, life and progress would soon get hopelessly shut in by fixed, iron bands of custom and tradition.

Egmont is a drama of freedom engaged in a life-and-death struggle with tyranny. The beginnings of the American Revolution were holding Goethe's breathless attention as he wrote, and its ideals of liberty and equality are reflected everywhere in the work. Washington and Franklin had captivated him, and were his heroes.

Despite his later resignation to the authority of Law and Order, and despite a strong distrust of the judgment of the masses upon complex questions, Goethe was always, in a certain deeper sense, a good democrat at heart: the spirit of his works is an inspiring example of the American spirit. Hence Goethe is a good author for young Americans to study piously. Nowhere do we find (except, perhaps, in Lowell's Birmingham address on "Democracy") a better argument for personal freedom than in Egmont's dispute with the Duke of Alva in the Fourth Act. Liberty of conscience (a right which Americans have done much to assert) is demanded on every page. Egmont mixes freely with the masses, respects their judgment, and takes them into his confidence in a way which would have been approved by Abraham Lincoln.

In *Egmont* the drama of freedom is shown at the moment of highest interest: deadly absolutism, with its grim machinery of repression, is making its supreme effort to strangle personal liberty, once for all.

Romantic Love, a pure human instinct, may safely be trusted to the full, in spite of any scruples of cold prudence, — this was an easy corollary to the strong faith in "natural emotions" which was held by the "Storm and Stress" party. (Tennyson's *Locksley Hall* shows how the "Storm and Stress" period reappears in most individual lives.) It goes without saying that all conventions of birth and all differences in social standing were to give way to the one great elemental impulse of the Soul. Goethe himself was hopelessly, feverishly in love: the golden dreams of his absorbing passion for Lili Schönemann had just been cruelly broken off by a sudden, hateful, forced surrender, at the moment when his blissful intoxication was at its dizziest height. Lili was a graceful, highly-bred, irresistibly captivating young person; her normal, though not heartless, coquetry had kept the young man guessing as to his fate, and had excited a supreme desire for possession. It was his nature to feel a tyrannous necessity for sympathetic response. "I need much, very much, to fill this heart of mine," he wrote at this time.

But more absorbing than the interest which any love-story can have, is the fascination which the whole drama of human life exerts upon the young — the bolder delving into all the larger human experiences, the intenser joys and sorrows which time is bound to bring into every one's lot.

By the time he had reached the age of twenty-six, Goethe had gone deep down into the most vital problems of nature, of destiny, and of philosophical inquiry. If the real truths of life are to be found out by searching, then Goethe had surely come to a point where he had a right to his opinions. He had concentrated his splendid powers of mind, and had eagerly exercised them to their full extent on philosophy, jurisprudence, political economy, medicine, natural science, history, archæology, art, and literature. Genuine classical studies had brought him near to the serene, well-proportioned types of the Greeks, and had acquainted him with the ground-principles of truth and beauty. No education is so broadening as that which acquaints us with human nature. He had surrendered himself unconditionally to Shakespeare, with the result that his whole knowledge of man was widened, and all things became new and strange.

A letter written by Goethe a few months before he began *Egmont* tells in a few sentences his purposes:

"There is another Goethe [than the one who is devoting himself to fashionable society] whose beloved great world of nature will soon be open to him again; whose work, and striving, and soul-life are going forward without interruption; who tries to give expression to the simple emotions of youth in poetry and to the strong savor of life in more than one drama; . . . who never troubles himself to ask what any one else may think of his doings, because as he works he always rises one grade higher; because he has no desire to reach any of his ideals at a bound, but wishes his emotions to develop, by struggle and by play, into capacities."

Yes, "the strong savor of life" is more attractive to generous minds than all shows and spectacles which have no aim beyond entertainment. *Egmont* is built upon the deep laws of human nature, fate, the will, the controlling forces of the Universe. It is a broad panorama of life in its larger aspects, not an entertaining story for children or idlers.

Soon after its completion, Goethe wrote to the Grand Duke of Weimar, a man of strong will and great practical ability for conducting affairs of state: "I hope that my *Egmont* may not hesitate to present himself to you, also, and to men of your stamp, for I wish, for the rest of my days, to write nothing which men who live a large and active life, and who have lived such a life, may not read, and shall not take pleasure in reading."

"Delight in tragedy is a sign of youth," says Mr. Gummere in his *Beginnings of Poetry*. Tragedy has to do with the untimely wreck of something noble, something fit to survive (especially noble ideals), and this wreck takes place not because of a lack of truth but because of a lack of power. "He has seen but half the universe who has never been shown the house of Pain. . . . No theory of life can have any right which leaves out of account the values of vice, pain, disease, poverty, insecurity, disunion, fear, and death."[1] Goethe's mood was dark and bitter at the time of writing, because of his disappointment in love. "Near the harbor of home and happiness I have been outrageously cast out again upon the open sea." The minor note of tragedy and disillusion sounds throughout the play.

The chief tragedy in our drama is the failure of free institutions to stand against cold calculating tyranny. There are plenty of secondary tragedies, especially the fall of the hero because of his overweening self-confidence.

---

[1] Emerson, *The Tragic*, which should be read at this point.

There is the spiteful control of men's lives by the "demonic" element, of which Goethe makes very much in discussing the play in later years, — probably a good deal more than he ever thought of when writing. This demonic factor is an inexorable destiny which "shapes our ends" without reference to our will or our personal interests. It plays skittles with our best-laid plans, sometimes to our good, quite as likely to our hurt, and revels in the apparently impossible. It is not a power that works for righteousness: right is likely to be driven to the wall, and wrong to triumph. It fills its subject with irresistible confidence, for weal or woe. It casts a spell upon the actors in the drama of life, so as to paralyze their will at the most critical moments. Earnest thinkers have often discussed the un-moral favoritism with which the very best gifts of life are parcelled out (Read Schiller's impressive poem, *Das Glück*). The very highest performances seem to be but a sort of passivity: allowing oneself to be played upon by those superhuman forces, of which men are merely the tool.

In short, by "demonic" forces Goethe probably meant those agencies of nature which work in darkness and mystery. He also indicates that these forces, which so often defeat the lovable and give the victory to the hateful, yield in the ultimate order of the universe, to a still higher destiny which satisfies moral beings. This final triumph over the temporary sway of the unmoral and unreasonable is intimated in the last scene of *Egmont*.[1]

A successful historical play is almost an impossibility, for its author has to put a whole nation upon the stage, and to show the workings of endless trains of cause and

[1] See an interesting article on Goethe's idea of the "Demonic" in the *Grenzboten*, Vol. 61 (1902); Part II, pages 319, 364.

effect. This, however, is just what Goethe proposed to do. "I kept close to history," he said, "and made every effort to stick to the facts as nearly as possible." The more one studies the records of the period, the more is he convinced that Goethe carried out his plan, — in spite of intentional changes, or omissions of irrelevant things. He made deep studies to acquaint himself with the spirit of the Dutch people, and with the history of the times. The epoch chosen was one of the decisive turning-points in the world's affairs. The only bulwark against the crushing force of repression was the civic spirit of the inhabitants of the Netherlands. Goethe represents this spirit in a way which is likely to remain a model. He was peculiarly gifted from his boyhood with a power of "visualization," the ability to clothe the dry persons of history in flesh and blood, so as to set them to work as living beings. We come to know the Dutch folk as sturdy, good-natured, hearty, independent, decent, self-respecting, well stocked with rough mother-wit; while the picture is that of a nation, each person is an individual as well as a type. Perhaps Goethe has failed to give a full impression of the magnificent heroism which this nation showed in the long struggle with Spain; this motive has been well supplied in Beethoven's overture, which combines admirably the patriotic and romantic with the heroic and stirring.

The inside view of statecraft is one of the larger features of the Egmont-drama, — no doubt the chief one which we owe to Goethe's long revision of the play in Weimar and Rome. It reflects what he had learned of this complicated matter during ten years' responsibility at the head of the government of Saxe-Weimar. We are let into close confidences as to expert theories of administration; we are taught to see through the secret designs of other people and to thwart them; we are made intimate with the reserved, thoughtful leader, whose every act is the fruit of political information; we encounter a shrewd defence of arbitrary power. We see not only the solid advantages of democracy, but also its seamy side: unwillingness of the good to co-operate, greed of the bad for spoils, subserviency of all to the shrewd demagogue. We learn something about handling masses, how to irritate them and how to win them back to order. So, too, there is a demonstration of the impress which one strong individuality may make upon the people; while compelled to accept the limitations of their instincts and character, still able to shape and direct them.

In our drama is the pageant of war, the clank of arms, the tramp of soldiers. *Egmont* is, at present, always a favorite play with military officers in Germany.

In writing *Egmont,* Goethe was making a Declaration of Independence in favor of a Northern, national, Germanic art, free from fixed rules which had fastened themselves upon southern Europe from the days of the ancient Greeks. Shakespeare and other English writers had taught the young poet that a powerful work could be produced in an untrammeled form, without confining the action to narrow bounds of time or place. Whether this example tended to a scattering of interest or not, as a practical drama *Egmont* will repay most careful study: this concerns the whole handling of the play, its dramatic structure, its picturesque groupings and stage-settings, its telling incidents, its entrances and exits. In representing its chief figure as the pre-determined product of deep-lying conditions for which he is not responsible, and in thereby reducing the element of his free will, the play is a very noticeable forerunner of the modern "naturalistic" drama.

Ampère, in a verdict which gratified Goethe very much, said: "*Egmont* seems to me the summit of Goethe's theatrical career: it is no longer the historical drama of *Götz,* no longer the antique tragedy of *Iphigenie,* it is real modern tragedy, a tableau of scenes from life, which combines the literalness of the former with the grand simplicity of the latter. In this work, written in the strength of his young manhood and at the fulness of his powers, he has perhaps set forth his ideal of human life better than anywhere else."

Taking into account all that has just been said, we may fairly imply that *Egmont,* the profound, concentrated product of a master-poet's best work, is not a thing to be appropriated in any easy or half-hearted way. With charming delicacy of suggestion Goethe wrote to sixteen-year-old Fritz von Stein: "I am gratified to learn that you like *Egmont* as you read it for the second time. The piece has been thought through so often, that it is quite possible that a person might be able to read it a number of times." It is almost touching to read the author's appeals to his dearest friends to appreciate this gift, which was so largely a giving of his whole great self. "I have never completed a piece of work with a more untrammeled soul, or with more conscientiousness than this"; "I know what I have put into my *Egmont,* and that this cannot all be read out of it the first time"; "it was a harder task than could ever be told, and it could never have been finished if I had not had absolute freedom of time and of mind."

Alas, he was compelled to find that even his most gifted and cultured friends in the choice, intimate Weimar circle did not take the work seriously enough. He felt that they were too easy-going, too unwilling to study it carefully. They objected, off-hand, to the very passages where the poet had solved some prime dramatic difficulty, or had labored to conceal it; if a scene had been ingeniously contrived to motivate with wonderful compactness and effect some of the most necessary factors in the tragic plot, they found it "too long"; their other criticisms were based upon similar superficialities which quite failed to take into account the real, deeper purposes of an artist who was tremendously in earnest.

The present editor ventures, as a practical matter, to urge upon those who use his book a loud, expressive declamation of the original words of the drama. He is near to believing that this prescription, honestly carried out, would bring almost everything else needed.

II. THE CHIEF CHARACTERS.

Our drama, although having to do with broad general principles, is centered about one carefully-drawn person. This way of treatment is Shakesperian and modern, rather than ancient Greek. Goethe's heroes are not necessarily final, or "perfect characters." It is only a short-sighted critic who would absolutely identify the leading figures in Goethe, Shakespeare, Browning, or Kipling with these writers themselves. A vigorous creator surrenders himself to the portrait he is drawing long enough to give it final expression; the character does its own work, points its own lesson, and then goes its own way, to give place to another figure, perhaps diametrically opposite to the first.

> "There was never a King like Solomon,
> Not since the world began:
> But Solomon talked to a butterfly
> As a man would talk to a man"

and this ability to hold himself for a time in full sympathy with his subject, whatever it may be, is the mark of the poet.

Egmont himself was personally very attractive to Goethe because of his full, normal health, strength, and love of life, his chivalrousness, and his generous instincts. Personal bravery is the chief note of his character. He is thoroughly human, particularly so in possessing unmistakable flaws. A lordly aristocrat, of splendid physique, irresistible, prettily responsive to agreeable blandishments, with boundless confidence in himself, he cheerfully accepts the earth and the fulness thereof as his own by natural right. Add to this his military successes, his wealth and lavish display, his friendly sympathy with the plain people, and we see how well he is adapted to become a popular ideal and idol.

Goethe offers no cloak for the weaknesses of his Egmont, whose fatal defect is superficiality: — he is what Schiller called him, a "*Weltkind,*" altogether too free from those severe and rigid restraints which should have given direction and power to his life, and have saved it from lapsing into downright frivolity. After the manner of self-indulgent persons, he screens his ungentlemanly acceptance of others' sacrifice by a hearty, good-natured generosity in indifferent matters; there is nothing cold or meanly calculating in his disposition. Inasmuch, however, as life is not altogether a holiday and festival, the "hero" who refuses to take it earnestly, who chooses to do only what he likes to do, and is irregular in keeping his office-hours, is suddenly brought face to face with the tragic contrast between the world as it is and his "natural," instinctive way of treating it.

Klärchen is the perfectly drawn figure of a type which

has added largely to the entertainment and suffering of mankind — now, perhaps, giving way to that "New Woman" who is less a creature of unreasoning impulses, and more one of reflection; less the diversion of man, and more his counselor (such a type as Goethe, at the period of his full maturity, represented in the heroine of *Hermann und Dorothea*). She is a full-blooded child of nature, who "goes it blind" in following to the full her passionate worship of the superior being, the masterful hero. His splendor and greatness raise her devotion almost to a religion. Without reserve she surrenders everything to her "love," — which not unambiguous term must be here defined as a resistless romantic intoxication, a great tide of feeling which sweeps away all banks of convention. Her boyish, reckless "freshness," her sublime insolence in defying whatever opposes the rights of the heart, are quite in line with the faith of "Storm and Stress," as it had just been laid down in Goethe's *Werther* (1774): "Every rule, say what you will, must destroy the real feeling for Nature, and the real expression of that feeling... It is just as when one is in love," — and here the young poet goes on to insist that a true lover must squander upon his heart's desire *all* his time, money, and gifts, if he would make any claim whatever to his title. It means not a little as to Goethe's attitude toward the Art of Living that he subsequently wrote, in one of his deepest sonnets (1802):

> Unbridled spirits ever strive in vain
> Perfection's radiant summit to attain.
> Who seeks great ends must straitly curb his force;
> In narrow bounds the Master's skill shall show,
> And only Law true Freedom can bestow.

When all is said, it must be admitted that Goethe has

created no livelier type than this Klärchen, with her imperious, childish strength of impulse and her enormous amount of "temperament," — all the redundant vitality of a narrow but energetic nature. Her blind, generous recklessness of all consequences when it comes to a supreme sacrifice for her idol offsets her very slight concern as to the peace of mind of the worthy youth who had been devoted to her before Egmont's appearance on the scene. If she lacks at all that gentleness, that fine delicacy and sweet consideration which make the crown of a certain type of highly-bred womanhood, we must bear in mind that these qualities were not particularly conspicuous in the Bohemian circle of *"Sturm und Drang."*

Klärchen's mother, while anxious for the permanent welfare of her daughter, shows a very human weakness in being flattered and captivated by the dazzling splendor and florid generosity of the imposing hero.

The unhappy Brackenburg, who reflects some of the keen tortures of heart which Goethe had undergone in smart society, makes another tragedy within the tragedy. He has high sensibility and a fine sense of honor, but a slight personality; he cannot command, or even earn the devotion of so vital, spirited, energetic (and Philistine) a girl as Klärchen. The hopelessness of his situation brings him into a condition of dull apathy. "God made me high-minded and tender," he says, and this sentence suggests the capacity for unmeasured miseries.

Margaret of Parma, as represented by Goethe,[1] stands

[1] The real Margaret was not so averse to a liberal use of fire and sword. "Her conduct in the Netherlands," says Motley, "offers but few points for approbation, and many for indignant censure."

also in a tragic position. Her noble gifts — prudence, resolution, humanity — while commanding respect, are too weak, upon a certain side, to succeed. While she knows that her views are right, she is gripped, as in a vise, by the hard, narrow mind of her superior. She is represented as somewhat too zealous and politic, lacking that simplicity which is the supreme token of greatness.

William of Orange appears in only one scene, but in this appearance he offers a convincing contrast to Egmont's fatal unconcern, and shows a higher side of manhood, the greatness of him that ruleth his spirit. His courage, discretion, tact, scientific clear-sightedness, and pure devotion to the common good put him at the side of Gustavus Adolphus and George Washington.

Alva is a man of iron, without compunction, silent, heartless, grim, yet of a certain massiveness and grandeur. He has a firm belief in the Established Order, and is quite prepared to maintain it, without regard to "natural emotions."

Ferdinand, whose generous admiration for his father's victim casts an ennobling light upon Egmont's character, is very freely treated by Goethe. From Motley we learn that the Grand Prior, Ferdinando de Toledo (natural son of Alva, and already a distinguished soldier) seems to have felt a warm and unaffected friendship for Egmont. They became exceedingly intimate, passing their time together in banquets, masquerades, and play. He admired Egmont's brilliant exploits, and became the instrument of his destruction only under compulsion. At the very last moment he warned Egmont to flee for his life.

The minor characters, such as the deaf veteran Ruysum, the contemptible demagogue Vansen, and the timid tailor Jetter, are not mere wooden figures, but show individuality, just as many unimportant actors in Shakespeare's plays are colored by creative power and breathe the breath of life. In relation to the larger events of the times they show plainly graded differences as regards their attitude toward politics and religion.

III. HOW GOETHE WROTE EGMONT.

Goethe spent just twelve years (1775-1787), including interruptions, in writing *Egmont.* We have no positive contemporary evidence as to the earliest work on the play; the reminiscences of the poet in later years form our only source of information for the facts until after his arrival in Weimar. There is good reason for believing that these later statements are substantially correct. According to the last book of his autobiography (*Dichtung und Wahrheit,* not completed until 1831) he began it very vigorously in the autumn of 1775.

Perhaps the studies in the history of the sixteenth century which he made while writing *Götz* and *Faust* had led Goethe to the struggle of the Netherlands with Spain, and directed his attention to Egmont as a particularly sympathetic figure. In the latter half of September, 1775, Goethe's engagement with Lili Schönemann had been broken off, and, in sheer desperation, he threw himself with full energy at the task of writing *Egmont.* Goethe's father, whose strongest wish was a successful career for his son, spurred him on by day and by night, and did all he could to further the work. Goethe made a thorough study of standard historical authorities (such as Van Meteren's *History of the Netherlands,* first published 1597; the celebrated Latin history, *The War in the Netherlands,* by the Jesuit Strada, published 1632; and

Hooft's *History of the Netherlands*,[1] published 1642), and took descriptions from them for the framework and background of his drama, appropriating word for word whatever he found useful. An enforced interruption in all his other plans, caused by a long delay in getting off for Weimar, released all his time for *Egmont,* and it was practically finished by the first of November, 1775. He reached Weimar on November 7, 1775, and at once, by the force of his personality, took position in the center of a life which gave little place for completing a large, sustained work of art. In fellowship with the stormy and stressful young duke, Karl August, he was at first involved in a round of wild, boisterous amusements and impossible extravagances, out of which came his gradual transformation into a trained statesman, bearing faithfully the heavy yoke of the duties of government: finances, the army, the fire-department, education, diplomacy, mining, farming, and public works became his care. In addition were his travels, his studies in natural history and philosophy, his work (in such stolen moments as he could lay hold on) upon other literary projects: *Faust, Wilhelm Meister, Elpenor, Iphigenie, Tasso,* lyric verse, the revision of *Werther.* He was a sort of contractor for fashionable amusements for the gay and gifted court circle and bore a large share of the burden of providing operettas and masquerades, processions and pantomimes, balls and ballets. With all this he was, during the first ten years in Weimar, completely devoted to the admirable Frau von Stein, "disciple of Spinoza, and sister of the holy Christ"; she was the very sun and center of his being. Her influ-

[1] From this work are taken the portraits reproduced in this edition.

ence tended to scrupulous refinement in taste and manners and to a more aristocratic view of life in general.

The experiences of the years following the first writing of *Egmont* emphasized, in the main, the duty of solid service to one's fellowmen in one's settled place, as contrasted with the dreams and sensations of the earlier period. The revision of the play proved a most difficult thing, for it was a new Goethe, in fact, who took the incomplete work in hand again. We have good evidence that Goethe soon made the Weimar circle acquainted with parts, at least, of the drama he had brought with him. It is not until April 12, 1778, however, that his diary gives us information that *Egmont* has again begun to jog his memory. In December of that year he is at work on the scene between Alva and his son, and Alva's monologue, both in the Fourth Act. In 1779 and 1780 we learn of his working off and on, with considerable persistency, though without much enthusiasm. For the greater part of 1781 we possess no diary. At the end of that year Goethe writes to Frau von Stein that his *Egmont* is almost finished, "and were it not for that deadly Fourth Act, which I detest and am forced to write all over again, I could finish this long-since threadbare piece before the end of the year." He is still ploughing ahead with it in the earlier part of 1782, and he expresses to his guardian spirit an entire willingness to destroy the whole piece, which drags so in its completion. He finds himself quite remote from its spirit, but prefers to let it stand just as it was written, except that he proposes to take away its "boisterous" style, as being below the dignity of the subject. The parts which give an inside view of the workings of government are doubtless drawn from Goethe's own Weimar experiences. It seems certain as well that the noticeable measured rhythm of various passages in the play (for instance in the last scene) was not a feature of the first Frankfort production. This marriage of "*gebundene Rede*" to the vigorous, forthright cadences of the early play is not, in all respects, a happy one.

On May 5, 1782, Goethe sent a letter to the daughter of the historian Justus Möser, which seems to have accompanied the completed work: "Accept with this an experiment which I made some years ago, and which I have not found time since to revise properly. Submit it to your father as it is, and then be good enough to let me know honestly and fully just what he thinks about it. I am quite as much concerned about his approval as about his censure. I want to know his entire point of view in regard to it."

From this time until his residence in Italy (1786-1788) we have no evidence that Goethe worked on the drama at all. To help defray the expenses of his travels and residence abroad he had planned an edition of his collected works in eight volumes, for which he intended to complete his "unfinished *Egmont*" to occupy a place in the sixth volume. It is not until the beginning of July, 1787, that he takes up the revision of *Egmont* in Rome, working on it vigorously and with concentration during the months of July and August, in spite of the hot weather. His year in Italy had almost completely reversed the "Storm and Stress" theory of art which he had held in 1775. It had brought him to a full acceptance of the Greek ideals of noble simplicity, necessity, and quiet grandeur. On September 5, 1787, he jubilantly records the fact that on that day *Egmont* has been definitively completed. In contrast with the irksomeness of the task in Weimar, he has a return of the joy and vigor of his first youth, and a sure confidence in the success of his work. There are whole scenes which he does not need to touch. His letters to his friends show his delight in the completed play, and betray how intensely he hopes for a like satisfaction on their part.

The much-sought-for and highly gifted Angelika Kauffmann, Goethe's friend and artistic guide in Rome, graciously consented to draw the frontispiece[1] for the work, which was engraved by the Swiss artist Lips, also a member of the Roman colony at this time. Goethe was highly delighted with the picture, which he said "could not have been drawn or engraved in Germany," while Schiller found it of sufficient importance to merit first mention in his celebrated unfavorable review[2] of *Egmont* in the *Allgemeine Literatur-Zeitung* of September 20, 1788.

We see, then, how *Egmont* is a product of Goethe's early life, put into final form in his calm maturity. It has gained the noble, serene simplicity of classic culture without giving up the impetuous power of youth.

IV. THE HISTORICAL BACKGROUND.

The play contains within itself about all the historical information needed for its own understanding. Goethe followed his sources quite accurately, except in making events come more closely together. The chief liberty he took was the treatment of Egmont's personality — including the invention of Klärchen. Egmont's overweening confidence in his lucky star has, for Goethe's poetical purposes, been greatly emphasized and made the central point of the drama. That the father of some

---

[1] Reproduced in this volume.

[2] In Goedeke's historical-critical edition of Schiller's works, vi, 80.

dozen children should show an utterly light-hearted recklessness would appear merely contemptible; hence the hero is made a young man, free from social entanglements and family responsibilities.

Every young American owes it to himself to become acquainted with that elegant product of our native literary soil, Motley's *Rise of the Dutch Republic*. Some details of this splendid monument of genius and research have been shown to be inaccurate, but there is vastly more deep historical truth in its vivid dramatic fiction than in all the dead facts of mere statisticians. Chapters VI-X in Part Two, and Chapters I and II in Part Three (especially accessible in Griffis's abridgment), give with such lively wit a picture of the background against which *Egmont* is played, that it is a great waste of time not to read them.

The constant attempt of the Spanish government under Philip the Second to override the ancient rights and liberties of the Dutch people had led to revolts and uprisings, followed by cruel repression, and, in turn, by more determined rebellion. Much bitterness was due to Philip's quartering Spanish officials and troops upon the land, and the institution of new bishoprics without consent of the people; but most of all to the looming shadow of the Spanish inquisition which was spreading itself over the Netherlands. Among the young native nobles who rose, almost to a man, to protect the freedom of the land, none was more conspicuous than Count Egmont, the flower of Flemish chivalry, " on Fortune's cap the very button." His title and name came from an ancient castle and domain in North Holland. He was supposed to trace his descent from the pagan kings of the Frisians, the most ancient of existing German races. In personal appearance he was tall and commanding; he was distinguished for bravery on many fields. His brilliant victories over the French at Saint Quentin (1557) and Gravelines had caused his name to resound like a trumpet throughout the whole country. "He was the idol of the army, the familiar hero of ballad and story; the mirror of chivalry, and the god of popular worship." He was very rich, splendid and showy in costume and personal surroundings. His wife was a Bavarian princess, he himself a Knight of the Golden Fleece, the highest order in Christendom. While eager for admiration, he was vain and irritable. His limited education had fitted him but moderately for any affairs except those of the camp.

Although he was a zealous Romanist, he had joined with Prince William of Orange and Count Horn in a remarkable letter to the king (March, 1563) remonstrating against the tyrannical administration of Cardinal Granvelle, Philip's minister in the Netherlands. Egmont followed this remonstrance by much indiscreet talk in public. In December, 1563, a wealthy Dutch baron gave a great dinner party to many of his friends among the young nobles. In order to hold up to ridicule the pompous display in the appurtenances of Granvelle's household, the noblemen agreed to adopt for all their servants a uniform, coarse livery of the simplest materials. As an emblem upon the sleeve they chose a device which resembled a monk's cowl or fool's cap, and which was plainly intended to ridicule the cardinal. Great excitement was produced in the already inflamed minds of the people by these symbols, which, upon the remonstrance of the Regent Margaret of Parma, the half-sister of King Philip, were changed to another device resembling a bunch of arrows or a sheaf of wheat.

Egmont cultivated the good graces of the middle and

lower classes, shooting with them at the target, calling every man by his name, and taking part in their public banquets. In 1565 he undertook a useless political mission to Madrid, where Philip turned his head by showy honors and flattery.

On April 3, 1566, about three hundred of the lesser noblemen came in a body into the presence of the Regent and her State Council, bringing a petition against the inquisition. As they were leaving, one Baron Barlaymont remarked to the Duchess, "Is it possible that your Highness can entertain fears of these beggars [*gueux*]?" That same evening, at a dinner of these nobles, the question arose as to a name for their league. The dinner ended in a drunken orgy, during which they caught up as a name for themselves the contemptuous title, "Beggars." They adopted beggars' costumes of coarsest gray cloth, which they proceeded to wear in public, — with the result that the flame of popular excitement was fanned to a still fiercer heat.

During August of 1566 various obscene mobs of "image-breakers" began furious attacks upon sacred buildings, demolishing every vestige of religious art, to the boundless horror and scandal of the Spanish government. Margaret of Parma demanded from the various governors an oath of allegiance to the Roman Catholic faith, and a promise to chastise the image-breakers. Egmont, with others, took these vows, after some reluctance, and as governor of Flanders showed himself a ready tool of despotism; but William of Orange refused, and resigned all his offices and honors in the Low Countries. After a vain and urgent appeal to Egmont to follow his example, he withdrew to an estate in Germany. On August 22, 1567, the iron-hearted Duke of Alva entered Brussels with a host of Spanish soldiery, to put an end to all revolt by the most drastic means. Egmont, infatuated with confidence, met him with every show of cordiality, and, as has been said, became particularly intimate with his natural son, the Grand Prior Don Ferdinando. On September 9, Alva enticed Count Egmont and Count Horn to his palace under the pretext of holding a council. Here they were entrapped and imprisoned. In view of Alva's arbitrary acts, Margaret resigned the regency, and a Council of Troubles (the "Blood-Council") was appointed, to supersede all other tribunals. Egmont and Horn were tried for high treason. All exertions of their friends and relatives proved vain. After nine months of imprisonment they were condemned to death on June 4, 1568. The sentence was communicated to them during the following night, and the next morning they were executed on the public square of Brussels.

Egmont

ein Trauerspiel

in fünf Aufzügen

Personen.

Margarete von Parma, Tochter Karls des Fünften, Regentin der Niederlande.
Graf Egmont, Prinz von Gaure.
Wilhelm von Oranien.
Herzog von Alba.
Ferdinand, sein natürlicher Sohn.
Machiavell, im Dienste der Regentin.
Richard, Egmonts Geheimschreiber.
Silva, } unter Alba dienend.
Gomez, }
Klärchen, Egmonts Geliebte.
Ihre Mutter.
Brackenburg, ein Bürgerssohn.
Soest,[1] Krämer, } Bürger von Brüssel.
Jetter, Schneider, }
Zimmermann, }
Seifensieder, }
Buyck,[2] Soldat unter Egmont.
Ruysum,[3] Invalide und taub.
Vansen, ein Schreiber.
Volk, Gefolge, Wachen u. s. w.

Der Schauplatz ist in Brüssel.

Erster Aufzug.

Armbrustschießen.[1]

Soldaten und Bürger (mit Armbrüsten).

Jetter (Bürger von Brüssel, Schneider, tritt vor und spannt die Armbrust)

Soest (Bürger von Brüssel, Krämer).

Soest. Nun schießt nur hin, daß es alle wird![2] Ihr nehmt mir's doch nicht! Drei Ringe schwarz,[3] die habt ihr eure Tage[4] nicht geschossen. Und so wär' ich[5] für dies Jahr Meister.

Jetter. Meister und König dazu. Wer mißgönnt's Euch? Ihr sollt dafür auch die Zeche doppelt bezahlen; Ihr sollt Eure Geschicklichkeit bezahlen, wie's recht ist.

Buyck (ein Holländer, Soldat unter Egmont).

Buyck. Jetter, den Schuß handl' ich Euch ab, teile den Gewinst, traktiere die Herren: ich bin so schon lange hier und für viele Höflichkeit Schuldner. Fehl' ich, so ist's als wenn Ihr geschossen hättet.

Soest. Ich sollte drein reden: denn eigentlich verlier' ich dabei. Doch, Buyck, nur immerhin.

Buyck (schießt). Nun, Pritschmeister,[6] Reverenz! — Eins! Zwei! Drei! Vier!

Soest. Vier Ringe? Es sei!

Alle. Vivat, Herr König, hoch! und abermal hoch!

Buyck. Danke, ihr Herren. Wäre Meister zu viel! Danke für die Ehre.

Jetter. Die habt Ihr Euch selbst zu danken.

Ruysum (ein Friesländer, Invalide und taub).

Ruysum. Daß ich euch sage!

Soest. Wie ist's, Alter?

Ruysum. Daß ich euch sage! — Er schießt wie sein Herr, er schießt wie Egmont.

Buyck. Gegen ihn bin ich nur ein armer Schlucker. Mit der Büchse trifft er erst, wie keiner in der Welt. Nicht etwa, wenn er Glück oder gute Laune hat; nein! wie er anlegt,[1] immer rein schwarz geschossen. Gelernt habe ich von ihm. Das wäre auch ein Kerl, der bei ihm diente und nichts von ihm lernte. — Nicht zu vergessen, meine Herren! Ein König nährt seine Leute; und so, auf des Königs Rechnung, Wein her!

Jetter. Es ist unter uns ausgemacht, daß jeder —

Buyck. Ich bin fremd und König und achte eure Gesetze und Herkommen nicht.

Jetter. Du bist ja ärger als der Spanier; der hat sie uns doch bisher lassen müssen.

Ruysum. Was?

Soest (laut). Er will uns gastieren, er will nicht haben, daß wir zusammenlegen und der König nur das Doppelte zahlt.

Ruysum. Laßt ihn! doch ohne Präjudiz![2] Das ist auch seines Herren Art, splendid zu sein und es laufen zu lassen, wo es gedeiht. (Sie bringen Wein.)

Alle. Ihro Majestät Wohl! Hoch!

Jetter (zu Buyck). Versteht sich Eure Majestät.

Buyck. Danke von Herzen, wenn's doch so sein soll.

Soest. Wohl! Denn unserer spanischen Majestät Gesundheit trinkt nicht leicht ein Niederländer von Herzen.

Ruysum. Wer?

Soest (laut). Philipps des Zweiten, Königs in Spanien.

Ruysum. Unser allergnädigster König und Herr! Gott geb' ihm langes Leben.

Soest. Hattet Ihr seinen Herrn Vater, Karl den Fünften, nicht lieber?

Ruysum. Gott tröst' ihn! Das war ein Herr! Er hatte die Hand über den ganzen Erdboden und war euch alles in allem; und wenn er euch begegnete, so grüßt' er euch, wie ein Nachbar den andern; und wenn ihr erschrocken wart, wußt' er mit so guter Manier — Ja, versteht mich — Er ging aus, ritt aus, wie's ihm einkam, gar mit wenig Leuten. Haben wir doch alle geweint,[1] wie er seinem Sohn das Regiment hier abtrat — sagt' ich, versteht mich — der ist schon anders, der ist majestätischer.

Jetter. Er ließ sich nicht sehen, da er hier war, als in Prunk und königlichem Staate. Er spricht wenig, sagen die Leute.

Soest. Es ist kein Herr für uns Niederländer. Unsre Fürsten müssen froh und frei sein, wie wir, leben und leben lassen. Wir wollen nicht verachtet noch gedruckt sein,[2] so gutherzige Narren wir auch sind.

Jetter. Der König, denk' ich, wäre wohl ein gnädiger Herr, wenn er nur bessere Ratgeber hätte.

Soest. Nein, nein! Er hat kein Gemüt gegen uns Niederländer, sein Herz ist dem Volke nicht geneigt, er liebt uns nicht; wie können wir ihn wieder lieben? Warum ist alle Welt dem Grafen Egmont so hold? Warum trügen wir ihn alle auf den Händen? Weil man ihm ansieht, daß er uns wohl will; weil ihm die Fröhlichkeit, das freie Leben, die gute Meinung aus den Augen sieht; weil er nichts besitzt, das er dem Dürftigen nicht mitteilte, auch dem, der's nicht bedarf. Laßt den Grafen Egmont leben! Buyck, an Euch ist's, die erste Gesundheit zu bringen! Bringt Eures Herrn Gesundheit aus.

Buyck. Von ganzer Seele denn: Graf Egmont hoch!

Ruysum. Überwinder bei St. Quintin!

Buyck. Dem Helden von Gravelingen![1]

Alle. Hoch!

Ruysum. St. Quintin war meine letzte Schlacht. Ich konnte kaum mehr fort, kaum die schwere Büchse mehr schleppen. Hab' ich doch den Franzosen noch eins auf den Pelz gebrennt, und da kriegt' ich zum Abschied noch einen Streifschuß ans rechte Bein.

Buyck. Gravelingen! Freunde! da ging's frisch! Den Sieg haben wir allein.[2] Brannten und sengten die welschen Hunde nicht durch ganz Flandern? Aber ich mein', wir trafen sie! Ihre alten handfesten Kerle hielten lange wider, und wir drängten und schossen und hieben, daß sie die Mäuler verzerrten und ihre Linien zuckten. Da ward Egmont[3] das Pferd unter dem Leibe niedergeschossen, und wir stritten lange hinüber herüber, Mann für Mann, Pferd gegen Pferd, Haufe mit Haufe,[4] auf dem breiten flachen Sand an der See hin. Auf einmal kam's, wie vom Himmel herunter, von der Mündung des Flusses, bav! bau! immer mit Kanonen in die Franzosen drein. Es waren Engländer, die unter dem Admiral Malin von ungefähr von Dünkirchen her vorbeifuhren. Zwar viel halfen sie uns nicht; sie konnten nur mit den kleinsten Schiffen herbei, und das nicht nah genug; schossen auch wohl unter uns — Es tat doch gut! Es brach die Welschen und hob unsern Mut. Da ging's! Rick! rack! herüber, hinüber!

Alles tot geschlagen, alles ins Wasser gesprengt. Und die Kerle ersoffen, wie sie das Wasser schmeckten;[1] und was wir Holländer waren, gerad hinten drein. Uns, die wir beidlebig[2] sind, ward erst wohl im Wasser wie den Fröschen; und immer die Feinde im Fluß zusammengehauen, weggeschossen wie die Enten.[3] Was nun noch durchbrach, schlugen euch auf der Flucht die Bauerweiber mit Hacken und Mistgabeln tot. Mußte doch die welsche Majestät[4] gleich das Pfötchen reichen[5] und Friede machen. Und den Frieden seid ihr uns schuldig, dem großen Egmont schuldig.

Alle. Hoch! dem großen Egmont hoch! und abermal hoch! und abermal hoch!

Jetter. Hätte man uns den statt der Margrete von Parma zum Regenten gesetzt!

Soest. Nicht so! Wahr bleibt wahr! Ich lasse mir Margareten nicht schelten. Nun ist's an mir. Es lebe unsre gnäd'ge Frau!

Alle. Sie lebe!

Soest. Wahrlich, treffliche Weiber sind in dem Hause. Die Regentin lebe!

Jetter. Klug ist sie und mäßig in allem, was sie tut; hielte sie's nur nicht so steif und fest mit den Pfaffen. Sie ist doch auch mit schuld, daß wir die vierzehn neuen Bischofsmützen im Lande haben. Wozu die nur sollen? Nicht wahr, daß man Fremde in die guten Stellen einschieben kann, wo sonst Äbte aus den Kapiteln gewählt wurden? Und wir sollen glauben, es sei um der Religion willen. Ja, es hat sich.[6] An drei Bischöfen hatten wir genug; da ging's ehrlich und ordentlich zu. Nun muß doch auch jeder tun, als ob er nötig wäre; und da setzt's allen Augenblick Verdruß und Händel. Und je mehr ihr das Ding rüttelt und schüttelt,[1] desto trüber wird's. (Sie trinken.)

Soest. Das war nun des Königs Wille; sie kann nichts davon, noch dazu tun.

Jetter. Da sollen wir nun die neuen Psalmen[2] nicht singen. Sie sind wahrlich gar schön in Reimen gesetzt und haben recht erbauliche Weisen. Die sollen wir nicht singen; aber Schelmenlieder, soviel wir wollen. Und warum? Es seien Ketzereien drin, sagen sie, und Sachen, Gott weiß. Ich hab' ihrer[3] doch auch gesungen; es ist jetzt was Neues, ich hab' nichts drin gesehen.

Buyck. Ich wollte sie[4] fragen! In unsrer Provinz singen wir, was wir wollen. Das macht, daß Graf Egmont unser Statthalter ist; der fragt nach so etwas nicht. — In Gent, Ypern, durch ganz Flandern singt sie, wer Belieben hat. (Laut.) Es ist ja wohl nichts unschuldiger, als ein geistlich Lied?[5] Nicht wahr, Vater?

Ruysum. Ei wohl! Es ist ja ein Gottesdienst, eine Erbauung.

Jetter. Sie sagen aber, es sei nicht auf die rechte Art, nicht auf ihre Art; und gefährlich ist's doch immer, da läßt man's lieber sein.[6] Die Inquisitionsdiener schleichen herum und passen auf; mancher ehrliche Mann ist schon unglücklich geworden. Der Gewissenszwang fehlte noch! Da ich nicht tun darf, was ich möchte, können sie mich doch denken und singen lassen, was ich will.

Soest. Die Inquisition kommt nicht auf. Wir sind nicht gemacht, wie die Spanier, unser Gewissen tyrannisieren zu lassen. Und der Adel muß auch beizeiten suchen, ihr die Flügel zu beschneiden.

Jetter. Es ist sehr fatal. Wenn's den lieben Leuten

einfällt, in mein Haus zu stürmen, und ich sitz' an meiner Arbeit und summe just einen französischen Psalm und denke nichts dabei, weder Gutes noch Böses; ich summe ihn aber, weil er mir in der Kehle ist: gleich bin ich ein Ketzer und werde eingesteckt. Oder ich gehe über Land und bleibe bei einem Haufen Volks stehen, das einem neuen Prediger zuhört, einem von denen, die aus Deutschland gekommen sind: auf der Stelle heiß' ich ein Rebell und komme in Gefahr, meinen Kopf zu verlieren. Habt ihr je einen predigen hören?

Soest. Wackre Leute. Neulich hört' ich einen auf dem Felde vor tausend und tausend Menschen sprechen. Das war ein ander Geköch,[1] als wenn unsre auf der Kanzel herumtrommeln und die Leute mit lateinischen Brocken erwürgen. Der sprach von der Leber weg; sagte, wie sie uns bisher hätten bei der Nase herumgeführt, uns in der Dummheit erhalten, und wie wir mehr Erleuchtung haben könnten. — Und das bewies er euch alles aus der Bibel.

Jetter. Da mag doch auch was dran sein. Ich sagt's immer selbst und grübelte so über die Sache nach. Mir ist's lang im Kopf herumgegangen.

Buyck. Es läuft ihnen auch alles Volk nach.

Soest. Das glaub' ich, wo man was Gutes hören kann und was Neues.

Jetter. Und was ist's denn nun? Man kann ja einen jeden predigen lassen nach seiner Weise.

Buyck. Frisch, ihr Herren! Über dem Schwätzen vergeßt ihr den Wein und Oranien.

Jetter. Den nicht zu vergessen. Das ist ein rechter Wall: wenn man nur an ihn denkt, meint man gleich, man könne sich hinter ihn verstecken, und der Teufel brächte einen nicht hervor. Hoch! Wilhelm von Oranien, hoch!

Alle. Hoch! hoch!

Soest. Nun, Alter, bring' auch deine Gesundheit.

Ruysum. Alte Soldaten! Alle Soldaten! Es lebe der Krieg!

Buyck. Bravo, Alter! Alle Soldaten! Es lebe der Krieg!

Jetter. Krieg! Krieg! Wißt ihr auch, was ihr ruft? Daß es euch leicht vom Munde geht, ist wohl natürlich; wie lumpig aber unsereinem dabei zu Mute ist, kann ich nicht sagen. Das ganze Jahr das Getrommel zu hören; und nichts zu hören, als wie da ein Haufen gezogen kommt und dort ein andrer, wie sie über einen Hügel kamen und bei einer Mühle hielten, wie viel da geblieben[1] sind, wie viel dort, und wie sie sich drängen, und einer gewinnt, der andere verliert, ohne daß man sein' Tage[2] begreift, wer was gewinnt oder verliert. Wie eine Stadt eingenommen wird, die Bürger ermordet werden, und wie's den armen Weibern, den unschuldigen Kindern ergeht. Das ist eine Not und Angst, man denkt jeden Augenblick: „Da kommen sie! Es geht uns auch so."

Soest. Drum muß auch ein Bürger immer in Waffen geübt sein.

Jetter. Ja, es übt sich, wer Frau und Kinder hat. Und doch hör' ich noch lieber von Soldaten, als ich sie sehe.

Buyck. Das sollt' ich übel nehmen.

Jetter. Auf Euch ist's nicht gesagt, Landsmann. Wie wir die spanischen Besatzungen los waren,[3] holten wir wieder Atem.

Soest. Gelt![4] die lagen dir am schwersten auf?

Jetter. Vexier' Er sich![5]

Soest. Die hatten scharfe Einquartierung bei dir.

Jetter. Halt dein Maul!

Soest. Sie hatten ihn vertrieben aus der Küche, dem Keller, der Stube — dem Bette. (Sie lachen.)

Jetter. Du bist ein Tropf.

Buyck. Friede, ihr Herren! Muß der Soldat Friede rufen? — Nun, da ihr von uns nichts hören wollt, nun bringt auch eure Gesundheit aus, eine bürgerliche Gesundheit.

Jetter. Dazu sind wir bereit! Sicherheit und Ruhe!

Soest. Ordnung und Freiheit!

Buyck. Brav! das sind auch wir zufrieden.

(Sie stoßen an und wiederholen fröhlich die Worte, doch so, daß jeder ein anders ausruft, und es eine Art Kanon[1] wird. Der Alte horcht und fällt endlich auch mit ein.)

Alle. Sicherheit und Ruhe! Ordnung und Freiheit!

Palast der Regentin.

Margarete von Parma in Jagdkleidern. Hofleute. Pagen. Bediente.

Regentin. Ihr stellt das Jagen ab, ich werde heut nicht reiten. Sagt Machiavellen, er soll zu mir kommen.

(Alle gehen ab.)

Der Gedanke an diese schrecklichen Begebenheiten läßt mir keine Ruhe! Nichts kann mich ergötzen, nichts mich zerstreuen; immer sind diese Bilder, diese Sorgen vor mir. Nun wird der König sagen, dies sein[2] die Folgen meiner Güte, meiner Nachsicht; und doch sagt mir mein Gewissen jeden Augenblick, das Rätlichste, das Beste getan zu haben. Sollte ich früher mit dem Sturme des Grimmes diese Flammen anfachen und umhertreiben? Ich hoffte, sie zu umstellen,[3] sie in sich selbst zu verschütten. Ja, was ich mir selbst sage, was ich wohl weiß, entschuldigt mich vor mir selbst; aber wie wird es mein Bruder aufnehmen? Denn, ist es zu leugnen? der Übermut der fremden Lehrer[4] hat

The "Image-breakers" at work, 1566.

sich täglich erhöht; sie haben unser Heiligtum gelästert, die stumpfen Sinnen[1] des Pöbels zerrüttet und den Schwindelgeist unter sie gebannt. Unreine Geister haben sich unter die Aufrührer gemischt, und schreckliche Taten sind geschehen, die zu denken schauderhaft ist und die ich nun einzeln nach Hofe zu berichten habe, schnell und einzeln, damit mir der allgemeine Ruf nicht zuvorkomme, damit der König nicht denke, man wolle noch mehr verheimlichen. Ich sehe kein Mittel, weder strenges noch gelindes, dem Übel zu steuern. O, was sind wir Großen[2] auf der Woge der Menschheit? Wir glauben, sie zu beherrschen, und sie treibt uns auf und nieder, hin und her.

Machiavell (tritt auf).

Regentin. Sind die Briefe an den König aufgesetzt?

Machiavell. In einer Stunde werdet Ihr sie unterschreiben können.

Regentin. Habt Ihr den Bericht ausführlich genug gemacht?

Machiavell. Ausführlich und umständlich, wie es der König liebt. Ich erzähle,[1] wie zuerst um St. Omer die bilderstürmerische Wut sich zeigt. Wie eine rasende Menge, mit Stäben, Beilen, Hämmern, Leitern, Stricken versehen, von wenig Bewaffneten begleitet, erst Kapellen, Kirchen und Klöster anfallen, die Andächtigen verjagen, die verschlossenen Pforten aufbrechen, alles umkehren, die Altäre niederreißen, die Statuen der Heiligen zerschlagen, alle Gemälde verderben, alles, was sie nur Geweihtes, Geheiligtes antreffen, zerschmettern, zerreißen, zertreten. Wie sich der Haufe unterwegs vermehrt, die Einwohner von Ypern ihnen die Tore eröffnen. Wie sie den Dom mit unglaublicher Schnelle verwüsten, die Bibliothek des Bischofs verbrennen. Wie eine große Menge Volks, von gleichem Unsinn ergriffen, sich über Menin, Comines, Verwich, Lille verbreitet, nirgend Widerstand findet, und wie fast durch ganz Flandern in einem Augenblicke die ungeheure Verschwörung sich erklärt und ausgeführt ist.

Regentin. Ach, wie ergreift mich aufs neue der Schmerz bei deiner Wiederholung! Und die Furcht gesellt sich dazu, das Übel werde nur größer und größer werden. Sagt mir Eure Gedanken, Machiavell!

Machiavell. Verzeihen[2] Eure Hoheit, meine Gedanken sehen Grillen so ähnlich; und wenn Ihr auch immer mit meinen Diensten zufrieden wart, habt Ihr doch selten meinem Rat folgen mögen. Ihr sagtet oft im Scherze: „Du siehst zu weit, Machiavell! Du solltest Geschichtschreiber sein: wer handelt, muß fürs Nächste sorgen.“ Und doch, habe ich diese Geschichte nicht voraus erzählt? Hab’ ich nicht alles voraus gesehen?

Regentin. Ich sehe auch viel voraus, ohne es ändern zu können.[1]

Machiavell. Ein Wort für tausend: Ihr unterdrückt die neue Lehre nicht. Laßt sie gelten, sondert sie von den Rechtgläubigen, gebt ihnen Kirchen, faßt sie in die bürgerliche Ordnung, schränkt sie ein; und so habt Ihr die Aufrührer auf einmal zur Ruhe gebracht. Jede[2] andern Mittel sind vergeblich, und Ihr verheert das Land.

Regentin. Hast du vergessen, mit welchem Abscheu mein Bruder selbst die Frage verwarf, ob man die neue Lehre dulden könne? Weißt du nicht, wie er mir in jedem Briefe die Erhaltung des wahren Glaubens aufs eifrigste empfiehlt? daß er Ruhe und Einigkeit auf Kosten der Religion nicht hergestellt wissen will? Hält er nicht selbst in den Provinzen Spione, die wir nicht kennen, um zu erfahren, wer sich zu der neuen Meinung hinüberneigt? Hat er nicht zu unsrer Verwunderung uns diesen und jenen genannt, der sich in unsrer Nähe heimlich der Ketzerei schuldig machte? Befiehlt er nicht Strenge und Schärfe? Und ich soll gelind sein? Ich soll Vorschläge tun, daß er nachsehe, daß er dulde? Würde ich nicht alles Vertrauen, allen Glauben bei ihm verlieren?

Machiavell. Ich weiß wohl; der König befiehlt, er läßt Euch seine Absichten wissen. Ihr sollt Ruhe und Friede[3] wieder herstellen, durch ein Mittel, das die Gemüter noch mehr erbittert, das den Krieg unvermeidlich an allen Enden anblasen wird. Bedenkt, was Ihr tut. Die größten Kaufleute sind angesteckt, der Adel, das Volk, die

Soldaten. Was hilft es, auf seinen Gedanken beharren, wenn sich um uns alles ändert? Möchte doch ein guter Geist Philippen eingeben, daß es einem Könige anständiger ist, Bürger zweierlei Glaubens zu regieren, als sie durch einander aufzureiben.

Regentin. Solch ein Wort nie wieder! Ich weiß wohl, daß Politik selten Treu' und Glauben halten kann,[1] daß sie Offenheit, Gutherzigkeit, Nachgiebigkeit aus unsern Herzen ausschließt. In weltlichen Geschäften ist das leider nur zu wahr; sollen wir aber auch mit Gott spielen, wie unter einander? Sollen wir gleichgültig gegen unsre bewährte Lehre sein, für die so viele ihr Leben aufgeopfert haben? Die sollten wir hingeben an hergelaufne, ungewisse, sich selbst widersprechende Neuerungen?

Machiavell. Denkt nur deswegen nicht übler von mir.

Regentin. Ich kenne dich und deine Treue und weiß, daß einer ein ehrlicher und verständiger Mann sein kann, wenn er gleich den nächsten besten Weg[2] zum Heil seiner Seele verfehlt hat. Es sind noch andere, Machiavell, Männer, die ich schätzen und tadeln muß.

Machiavell. Wen bezeichnet Ihr mir?

Regentin. Ich kann es gestehen, daß mir Egmont heute einen recht innerlichen, tiefen Verdruß erregte.

Machiavell. Durch welches Betragen?

Regentin. Durch sein gewöhnliches, durch Gleichgültigkeit und Leichtsinn. Ich erhielt die schreckliche Botschaft, eben als ich, von vielen und ihm begleitet, aus der Kirche ging. Ich hielt meinen Schmerz nicht an, ich beklagte mich laut und rief, indem ich mich zu ihm wendete: „Seht, was in Eurer Provinz entsteht! Das duldet Ihr, Graf, von dem der König sich alles versprach?"

Machiavell. Und was antwortete er?

Regentin. Als wenn es nichts, als wenn es eine Nebensache wäre, versetzte er: Wären nur erst die Niederländer über ihre Verfassung beruhigt! Das übrige würde sich leicht geben.[1]

Machiavell. Vielleicht hat er wahrer als klug und fromm gesprochen. Wie soll Zutrauen entstehen und bleiben, wenn der Niederländer sieht, daß es mehr um seine Besitztümer, als um sein Wohl, um seiner Seele Heil zu tun ist? Haben die neuen Bischöfe mehr Seelen gerettet, als fette Pfründen geschmaust, und sind es nicht meist Fremde? Noch werden alle Statthalterschaften mit Niederländern besetzt; lassen sich es die Spanier nicht zu deutlich merken, daß sie die größte, unwiderstehlichste Begierde nach diesen Stellen empfinden? Will ein Volk nicht lieber nach seiner Art von den Seinigen regieret werden, als von Fremden, die erst im Lande sich wieder Besitztümer auf Unkosten aller zu erwerben suchen, die einen fremden Maßstab mitbringen und unfreundlich und ohne Teilnehmung[2] herrschen?

Regentin. Du stellst dich auf die Seite der Gegner.

Machiavell. Mit dem Herzen gewiß nicht; und wollte, ich könnte mit dem Verstande ganz auf der unsrigen sein.

Regentin. Wenn du so willst, so tät' es not, ich träte ihnen meine Regentschaft ab; denn Egmont und Oranien machen sich große Hoffnung, diesen Platz einzunehmen. Damals waren sie Gegner; jetzt sind sie gegen mich verbunden, sind Freunde, unzertrennliche Freunde geworden.

Machiavell. Ein gefährliches Paar.

Regentin. Soll ich aufrichtig reden; ich fürchte Oranien, und ich fürchte für Egmont. Oranien sinnt nichts Gutes, seine Gedanken reichen in die Ferne, er ist heimlich, scheint alles anzunehmen, widerspricht nie, und in tiefster Ehrfurcht, mit größter Vorsicht tut er, was ihm beliebt.

Machiavell. Recht im Gegenteil geht Egmont einen freien Schritt, als wenn die Welt ihm gehörte.

Regentin. Er trägt das Haupt so hoch, als wenn die Hand der Majestät nicht über ihm schwebte.

Machiavell. Die Augen des Volks sind alle nach ihm gerichtet, und die Herzen hängen an ihm.

Regentin. Nie hat er einen Schein vermieden, als wenn niemand Rechenschaft von ihm zu fordern hätte. Noch trägt er den Namen Egmont.[1] Graf Egmont, freut ihn, sich nennen zu hören; als wollte er nicht vergessen, daß seine Vorfahren Besitzer von Geldern[2] waren. Warum nennt er sich nicht Prinz von Gaure, wie es ihm zukommt? Warum tut er das? Will er erloschne Rechte wieder geltend machen?

Machiavell. Ich halte ihn für einen treuen Diener des Königs.

Regentin. Wenn er wollte, wie verdient könnte er sich um die Regierung machen; anstatt daß er uns schon, ohne sich zu nutzen, unsäglichen Verdruß gemacht hat. Seine Gesellschaften, Gastmahle und Gelage haben den Adel mehr verbunden und verknüpft, als die gefährlichsten heimlichen Zusammenkünfte. Mit seinen Gesundheiten haben die Gäste einen dauernden Rausch, einen nie sich verziehenden Schwindel geschöpft. Wie oft setzt er durch seine Scherzreden die Gemüter des Volks in Bewegung, und wie stutzte der Pöbel über die neuen Livreen,[3] über die törichten Abzeichen der Bedienten!

Machiavell. Ich bin überzeugt, es war ohne Absicht.

Regentin. Schlimm genug. Wie ich sage: er schadet

uns und nutzt sich nicht. Er nimmt das Ernstliche scherzhaft, und wir, um nicht müßig und nachlässig zu scheinen, müssen das Scherzhafte ernstlich nehmen. So hetzt eins das andre; und was man abzuwenden sucht, das macht sich erst recht. Er ist gefährlicher, als ein entschiednes Haupt einer Verschwörung; und ich müßte mich sehr irren, wenn man ihm bei Hofe nicht alles gedenkt. Ich kann nicht leugnen, es vergeht wenig Zeit, daß er mich nicht empfindlich, sehr empfindlich macht.

Machiavell. Er scheint mir in allem nach seinem Gewissen zu handeln.

Regentin. Sein Gewissen hat einen gefälligen Spiegel.[1] Sein Betragen ist oft beleidigend. Er sieht oft aus, als wenn er in der völligen Überzeugung lebe, er sei Herr, und wolle es uns nur aus Gefälligkeit nicht fühlen lassen, wolle uns so gerade nicht zum Lande hinausjagen; es werde sich schon geben.[2]

Machiavell. Ich bitte Euch, legt seine Offenheit, sein glückliches Blut, das alles Wichtige leicht behandelt,[3] nicht zu gefährlich aus. Ihr schadet nur ihm und Euch.

Regentin. Ich lege nichts aus. Ich spreche nur von den unvermeidlichen Folgen, und ich kenne ihn. Sein niederländischer Adel und sein golden Vlies[4] vor der Brust stärken sein Vertrauen, seine Kühnheit. Beides kann ihn vor einem schnellen willkürlichen Unmut des Königs schützen. Untersuch' es genau; an dem ganzen Unglück, das Flandern trifft, ist er doch nur allein schuld. Er hat zuerst den fremden Lehrern nachgesehn, hat's so genau nicht genommen und vielleicht sich heimlich gefreut, daß wir etwas zu schaffen hatten. Laß mich nur! Was ich auf dem Herzen habe, soll bei dieser Gelegenheit davon. Und ich will die Pfeile nicht

MARGARETA VAN OOSTENRYK
HARTOGIN VAN PARMA

umsonst verschießen; ich weiß, wo er empfindlich ist. Er ist auch empfindlich.[1]

Machiavell. Habt Ihr den Rat zusammenberufen lassen? Kommt Oranien auch?

Regentin. Ich habe nach Antwerpen um ihn geschickt. Ich will ihnen die Last der Verantwortung nahe genug zuwälzen; sie sollen sich mit mir dem Übel ernstlich entgegensetzen oder sich auch als Rebellen erklären. Eile, daß die Briefe fertig werden, und bringe mir sie zur Unterschrift. Dann sende schnell den bewährten Vaska nach Madrid; er ist unermüdet und treu; daß mein Bruder zuerst durch ihn die Nachricht erfahre, daß der Ruf ihn nicht übereile. Ich will ihn selbst noch sprechen, eh er abgeht.

Machiavell. Eure Befehle sollen schnell und genau befolgt werden.

Bürgerhaus.

Klare. Klarens Mutter. Brackenburg.

Klare. Wollt Ihr mir nicht das Garn halten, Brackenburg?

Brackenburg. Ich bitt' Euch, verschont mich, Klärchen.

Klare. Was habt Ihr wieder? Warum versagt Ihr mir diesen kleinen Liebesdienst?

Brackenburg. Ihr bannt mich mit dem Zwirn so fest vor Euch hin, ich kann Euern Augen nicht ausweichen.

Klare. Grillen! kommt und haltet!

Mutter (im Sessel strickend). Singt doch eins! Brackenburg sekundiert[2] so hübsch. Sonst wart ihr lustig, und ich hatte immer was zu lachen.

Brackenburg. Sonst.

Klare. Wir wollen singen.

Brackenburg. Was Ihr wollt.

Klare. Nur hübsch munter und frisch weg! Es ist ein Soldatenliedchen, mein Leibstück.[1]

(Sie wickelt Garn und singt mit Brackenburg.)

Die Trommel gerühret!
Das Pfeifchen gespielt![2]
Mein Liebster gewaffnet
Dem Haufen befiehlt,
Die Lanze hoch führet,
Die Leute regieret.
Wie klopft mir das Herze!
Wie wallt mir das Blut!
O, hätt' ich ein Wämslein
Und Hosen und Hut!

Ich folgt' ihm zum Tor 'naus
Mit mutigem Schritt,
Ging' durch die Provinzen,
Ging' überall mit.
Die Feinde schon weichen,
Wir schießen da drein.
Welch Glück sondergleichen,
Ein Mannsbild zu sein!

(Brackenburg hat unter dem Singen Klärchen oft angesehen; zuletzt bleibt ihm die Stimme stocken, die Tränen kommen ihm in die Augen, er läßt den Strang fallen und geht ans Fenster. Klärchen singt das Lied allein aus, die Mutter winkt ihr halb unwillig,[3] sie steht auf, geht einige Schritte nach ihm hin, kehrt halb unschlüssig wieder um und setzt sich.)

Mutter. Was gibt's auf der Gasse, Brackenburg? Ich höre marschieren.

Brackenburg. Es ist die Leibwache der Regentin.

Klare. Um diese Stunde? Was soll das bedeuten? (Sie steht auf und geht an das Fenster zu Brackenburg.) Das ist nicht die tägliche Wache, das sind weit mehr! Fast alle ihre Haufen. O Brackenburg, geht! hört einmal, was es gibt! Es muß etwas Besonderes sein. Geht, guter Brackenburg, tut mir den Gefallen.

Brackenburg. Ich gehe! Ich bin gleich wieder da! (Er reicht ihr abgehend die Hand; sie gibt ihm die ihrige.)

Mutter. Du schickst ihn schon wieder weg.

Klare. Ich bin neugierig. Und auch verdenkt mir's nicht, seine Gegenwart tut mir weh. Ich weiß immer nicht, wie ich mich gegen ihn betragen soll. Ich habe Unrecht gegen ihn, und mich nagt's am Herzen, daß er es so lebendig fühlt. — Kann ich's doch nicht ändern!

Mutter. Es ist ein so treuer Bursche.

Klare. Ich kann's auch nicht lassen, ich muß ihm freundlich begegnen. Meine Hand drückt sich oft unversehens zu, wenn die seine mich so leise, so liebevoll anfaßt. Ich mache mir Vorwürfe, daß ich ihn betrüge, daß ich in seinem Herzen eine vergebliche Hoffnung nähre. Ich bin übel dran.[1] Weiß Gott, ich betrüg' ihn nicht. Ich will nicht, daß er hoffen soll, und ich kann ihn doch nicht verzweifeln lassen.

Mutter. Das ist nicht gut.

Klare. Ich hatte ihn gern und will ihm auch noch wohl in der Seele. Ich hätte ihn heiraten können, und glaube, ich war nie in ihn verliebt.

Mutter. Glücklich wärst du immer mit ihm gewesen.

Klare. Wäre versorgt und hätte ein ruhiges Leben.

Mutter. Und das ist alles durch deine Schuld verscherzt.

Klare. Ich bin in einer wunderlichen Lage. Wenn ich so nachdenke, wie es gegangen ist, weiß ich's wohl und weiß es nicht. Und dann darf ich Egmont nur wieder ansehen, wird mir alles sehr begreiflich, ja wäre mir weit mehr begreiflich. Ach, was ist's ein Mann![1] Alle Provinzen beten ihn an, und ich in seinem Arm sollte nicht das glücklichste Geschöpf von der Welt sein?

Mutter. Wie wird's in der Zukunft werden?

Klare. Ach, ich frage nur, ob er mich liebt; und ob er mich liebt, ist das eine Frage?

Mutter. Man hat nichts als Herzensangst mit seinen Kindern. Wie das ausgehen wird! Immer Sorge und Kummer! Es geht nicht gut aus! Du hast dich unglücklich gemacht! mich unglücklich gemacht!

Klare (gelassen). Ihr ließet es doch im Anfange.

Mutter. Leider war ich zu gut, bin immer zu gut.

Klare. Wenn Egmont vorbeiritt und ich ans Fenster lief, schaltet Ihr mich da? Tratet Ihr nicht selbst ans Fenster? Wenn er herauf sah, lächelte, nickte, mich grüßte, war es Euch zuwider? Fandet Ihr Euch nicht selbst in Eurer Tochter geehrt?

Mutter. Mache mir noch Vorwürfe.

Klare (gerührt). Wenn er nun öfter die Straße kam und wir wohl fühlten, daß er um meinetwillen den Weg machte, bemerktet Ihr's nicht selbst mit heimlicher Freude? Riefst Ihr mich ab, wenn ich hinter den Scheiben stand und ihn erwartete?

Mutter. Dachte ich, daß es so weit kommen sollte?

Klare (mit stockender Stimme und zurückgehaltenen Tränen). Und wie er uns abends, in den Mantel eingehüllt, bei der Lampe überraschte, wer war geschäftig, ihn zu empfangen, da ich auf meinem Stuhl wie angekettet und staunend sitzen blieb?

Mutter. Und konnte ich fürchten, daß diese unglückliche Liebe das kluge Klärchen so bald hinreißen würde? Ich muß es nun tragen, daß meine Tochter —

Klare (mit ausbrechenden Tränen). Mutter! Ihr wollt's nun! Ihr habt Eure Freude, mich zu ängstigen.

Mutter (weinend). Weine noch gar! mache mich noch elender durch deine Betrübnis! Ist mir's nicht Kummer genug, daß meine einzige Tochter ein verworfenes Geschöpf ist?

Klare (aufstehend und kalt). Verworfen! Egmonts Geliebte verworfen? — Welche Fürstin neidete nicht das arme Klärchen um den Platz an seinem Herzen! O Mutter — meine Mutter, so redetet Ihr sonst nicht. Liebe Mutter, seid gut! — Das Volk, was das denkt, die Nachbarinnen, was die murmeln — Diese Stube, dieses kleine Haus ist ein Himmel, seit Egmonts Liebe drin wohnt.

Mutter. Man muß ihm hold sein! das ist wahr. Er ist immer so freundlich, frei und offen.

Klare. Es ist keine falsche Ader an ihm. Seht, Mutter, und er ist doch der große Egmont. Und wenn er zu mir kommt, wie er so lieb ist, so gut! wie er mir seinen Stand, seine Tapferkeit gerne verbärge! wie er um mich besorgt ist! so nur Mensch, nur Freund, nur Liebster.

Mutter. Kommt er wohl heute?

Klare. Habt Ihr mich nicht oft ans Fenster gehen sehn? Habt Ihr nicht bemerkt, wie ich horche, wenn's an der Tür rauscht? — Ob ich schon weiß, daß er vor Nacht nicht kommt, vermut' ich ihn doch jeden Augenblick, von morgens an, wenn ich aufstehe. Wär' ich nur ein Bube und könnte immer mit ihm gehen, zu Hofe und überall hin! Könnt' ihm die Fahne nachtragen in der Schlacht! —

Mutter. Du warst immer so ein Springinsfeld;[1] als ein kleines Kind schon, bald toll, bald nachdenklich. Ziehst du dich nicht ein wenig besser an?[2]

Klare. Vielleicht, Mutter! wenn ich Langeweile habe. — Gestern, denkt, gingen von seinen Leuten[1] vorbei und sangen Lobliedchen auf ihn. Wenigstens war sein Name in den Liedern; das übrige konnt' ich nicht verstehn. Das Herz schlug mir bis an den Hals — Ich hätte sie gern zurückgerufen, wenn ich mich nicht geschämt hätte.

Mutter. Nimm dich in acht! Dein heftiges Wesen verdirbt noch alles; du verrätst dich offenbar vor den Leuten. Wie neulich bei dem Vetter, wie du den Holzschnitt und die Beschreibung fandst und mit einem Schrei riefst: Graf Egmont! — Ich ward feuerrot.

Klare. Hätt' ich nicht schreien sollen? Es war die Schlacht bei Gravelingen; und ich finde oben im Bilde den Buchstaben C. und suche unten in der Beschreibung C. Steht da: „Graf Egmont, dem das Pferd unter dem Leibe totgeschossen wird." Mich überlief's[2] — und hernach mußt' ich lachen über den holzgeschnitzten Egmont, der so groß war als der Turm von Gravelingen gleich dabei und die englischen Schiffe an der Seite. — Wenn ich mich manchmal erinnere, wie ich mir sonst eine Schlacht vorgestellt, und was ich mir als Mädchen für ein Bild vom Grafen Egmont machte, wenn sie von ihm erzählten, und von allen Grafen und Fürsten — und wie mir's jetzt ist!

Brackenburg (kommt).

Klare. Wie steht's?

Brackenburg. Man weiß nichts Gewisses. In Flandern soll neuerdings ein Tumult entstanden sein; die Regentin soll besorgen, er möchte sich hieher verbreiten. Das Schloß ist stark besetzt, die Bürger sind zahlreich an den Toren, das Volk summt in den Gassen. — Ich will nur schnell zu meinem alten Vater. (Als wollt' er gehen.)

Klare. Sieht man Euch morgen? Ich will mich ein wenig anziehen. Der Vetter kommt, und ich sehe gar zu liederlich[1] aus. Helft mir einen Augenblick, Mutter. — Nehmt das Buch mit, Brackenburg, und bringt mir wieder so eine Historie.[2]

Mutter. Lebt wohl.

Brackenburg (seine Hand reichend). Eure Hand!

Klare (ihre Hand versagend). Wenn Ihr wiederkommt. (Mutter und Tochter ab.)

Brackenburg (allein). Ich hatte mir vorgenommen, gerade wieder fortzugehn; und da sie es dafür aufnimmt und mich gehen läßt, möcht' ich rasend werden. — Unglücklicher! und dich rührt deines Vaterlandes Geschick nicht? der wachsende Tumult nicht? — und gleich ist dir Landsmann oder Spanier, und wer regiert und wer Recht hat? — War ich doch ein andrer Junge als Schulknabe! — Wenn da ein Exercitium aufgegeben war: „Brutus' Rede für die Freiheit, zur Übung der Redekunst;" da war doch immer Fritz der erste, und der Rektor sagte: wenn's nur ordentlicher wäre, nur nicht alles so über einander gestolpert. — Damals kocht' es und trieb! — Jetzt schlepp' ich mich an den Augen des Mädchens so hin. Kann ich sie doch nicht lassen! Kann sie mich doch nicht lieben! — Ach — Nein — Sie — Sie kann mich nicht ganz verworfen haben — — Nicht ganz — und halb und nichts! — Ich duld' es nicht länger! — — Sollte es wahr sein, was mir ein Freund neulich ins Ohr sagte? daß sie nachts einen Mann heimlich zu sich einläßt, da sie mich züchtig immer vor Abend aus dem Hause treibt. Nein, es ist nicht wahr, es ist eine Lüge, eine schändliche verläumderische Lüge! Klärchen ist so unschuldig, als ich unglücklich bin. — Sie hat mich verworfen, hat mich von ihrem Herzen gestoßen — — Und ich soll so fortleben? Ich duld', ich duld' es nicht. — — Schon wird mein Vaterland von innerm Zwiste heftiger bewegt, und ich sterbe unter dem Getümmel nur ab! Ich duld' es nicht! — Wenn die Trompete klingt, ein Schuß fällt, mir fährt's durch Mark und Bein! Ach, es reizt mich nicht! es fordert mich nicht, auch mit einzugreifen, mit zu retten, zu wagen. — Elender, schimpflicher Zustand! Es ist besser, ich end' auf einmal. Neulich stürzt' ich mich ins Wasser, ich sank — aber die geängstete Natur war stärker; ich fühlte, daß ich schwimmen konnte, und rettete mich wider Willen. — — Könnt' ich der Zeiten vergessen, da sie mich liebte, mich zu lieben schien! — Warum hat mir's Mark und Bein durchdrungen, das Glück? Warum haben mir diese Hoffnungen allen Genuß des Lebens aufgezehrt, indem sie mir ein Paradies von weitem zeigten? — Und jener erste Kuß! Jener einzige! — Hier (die Hand auf den Tisch legend), hier waren wir allein — sie war immer gut und freundlich gegen mich gewesen — da schien sie sich zu erweichen — sie sah mich an — alle Sinnen gingen mir um, und ich fühlte ihre Lippen auf den meinigen. — Und — und nun? — Stirb, Armer! Was zauderst du? (Er zieht ein Fläschchen aus der Tasche.) Ich will dich nicht umsonst aus meines Bruders Doktorkästchen gestohlen haben, heilsames Gift! Du sollst mir dieses Bangen, diese Schwindel, diese Todesschweiße auf einmal verschlingen und lösen.

Zweiter Aufzug.

Platz in Brüssel.[1]

Jetter und ein Zimmermeister (treten zusammen).

Zimmermeister. Sagt' ich's nicht voraus? Noch vor acht Tagen auf der Zunft[2] sagt' ich, es würde schwere Händel geben.

Jetter. Ist's denn wahr, daß sie die Kirchen in Flandern geplündert haben?

Zimmermeister. Ganz und gar zu Grunde gerichtet haben sie Kirchen und Kapellen. Nichts als die vier nackten Wände haben sie stehen lassen. Lauter Lumpengesindel! Und das macht unsre gute Sache schlimm. Wir hätten eher, in der Ordnung und standhaft, unsere Gerechtsame der Regentin vortragen und drauf halten sollen. Reden wir jetzt, versammeln wir uns jetzt, so heißt es, wir gesellen uns zu den Aufwieglern.

Jetter. Ja, so denkt jeder zuerst: was sollst du mit deiner Nase voran? hängt doch der Hals gar nah damit zusammen.

Zimmermeister. Mir ist's bange, wenn's einmal unter dem Pack zu lärmen anfängt, unter dem Volk, das nichts zu verlieren hat. Die brauchen das zum Vorwande, worauf wir uns auch berufen müssen, und bringen das Land in Unglück.

Soest (tritt dazu).

Soest. Guten Tag, ihr Herrn! Was gibt's Neues? Ist's wahr, daß die Bilderstürmer gerade hierher ihren Lauf nehmen?

Zimmermeister. Hier sollen sie nichts anrühren.

Soest. Es trat ein Soldat bei mir ein, Tobak[1] zu kaufen; den fragt' ich aus. Die Regentin, so eine wackre kluge Frau sie bleibt, diesmal ist sie außer Fassung. Es muß sehr arg sein, daß sie sich so geradezu hinter ihre Wache versteckt. Die Burg ist scharf besetzt. Man meint sogar, sie wolle aus der Stadt flüchten.

Zimmermeister. Hinaus soll sie nicht! Ihre Gegenwart beschützt uns, und wir wollen ihr mehr Sicherheit verschaffen, als ihre Stutzbärte.[2] Und wenn sie uns unsere Rechte und Freiheiten aufrecht erhält, so wollen wir sie auf den Händen tragen.[3]

Seifensieder (tritt dazu).

Seifensieder. Garstige Händel! üble Händel! Es wird unruhig und geht schief aus! — Hütet euch, daß ihr stille bleibt, daß man euch nicht auch für Aufwiegler hält.

Soest. Da kommen die sieben Weisen aus Griechenland.[4]

Seifensieder. Ich weiß, da sind viele, die es heimlich mit den Kalvinisten halten, die auf die Bischöfe lästern, die den König nicht scheuen. Aber ein treuer Untertan, ein aufrichtiger Katholike —

(Es gesellt sich nach und nach allerlei Volk zu ihnen und horcht.)

Vansen (tritt dazu).

Vansen. Gott grüß' euch, Herren! Was Neues?

Zimmermeister. Gebt euch mit dem nicht ab,[5] das ist ein schlechter Kerl.

Jetter. Ist es nicht der Schreiber beim Doktor Wiets?

Zimmermeister. Er hat schon viele Herren gehabt. Erst war er Schreiber, und wie ihn ein Patron nach dem andern fortjagte, Schelmstreiche halber, pfuscht er jetzt Notaren und Advokaten ins Handwerk[1] und ist ein Branntweinzapf.[2]

(Es kommt mehr Volk zusammen und steht truppweise.)

Vansen. Ihr seid auch versammelt, steckt die Köpfe zusammen. Es ist immer redenswert.

Soest. Ich denk' auch.

Vansen. Wenn jetzt einer oder der andere Herz hätte und einer oder der andere den Kopf dazu, wir könnten die spanischen Ketten auf einmal sprengen.

Soest. Herre![3] So müßt Ihr nicht reden. Wir haben dem König geschworen.

Vansen. Und der König uns. Merkt das.

Jetter. Das läßt sich hören! Sagt Eure Meinung.

Einige andere. Horch; der versteht's! Der hat Pfiffe.

Vansen. Ich hatte einen alten Patron, der besaß Pergamente und Briefe von uralten Stiftungen, Kontrakten und Gerechtigkeiten; er hielt auf die rarsten Bücher.[4] In einem stand unsere ganze Verfassung: wie uns Niederländer zuerst einzelne Fürsten regierten, alles nach hergebrachten Rechten, Privilegien und Gewohnheiten; wie unsre Vorfahren alle Ehrfurcht für ihren Fürsten[5] gehabt, wenn er sie regiert, wie er sollte; und wie sie sich gleich vorsahen, wenn er über die Schnur hauen[6] wollte. Die Staaten[7] waren gleich hinterdrein: denn jede Provinz, so klein sie war, hatte ihre Staaten, ihre Landstände.[8]

Zimmermeister. Haltet Euer Maul! das weiß man lange! Ein jeder rechtschaffene Bürger ist, so viel er braucht, von der Verfassung unterrichtet.

Jetter. Laßt ihn reden; man erfährt immer etwas mehr.

Soest. Er hat ganz recht.

Mehrere. Erzählt! erzählt! So was hört man nicht alle Tage.

Vansen. So seid ihr Bürgersleute! Ihr lebt nur so in den Tag hin, und wie ihr euer Gewerb' von euern Eltern überkommen habt, so laßt ihr auch das Regiment über euch schalten und walten, wie es kann und mag. Ihr fragt nicht nach dem Herkommen,[1] nach der Historie, nach dem Recht eines Regenten; und über[2] das Versäumnis haben euch die Spanier das Netz über die Ohren gezogen.

Soest. Wer denkt da dran? wenn einer nur das tägliche Brot hat.

Jetter. Verflucht! Warum tritt auch keiner in Zeiten[3] auf und sagt einem so etwas?

Vansen. Ich sag' es euch jetzt. Der König in Spanien, der die Provinzen durch gut Glück zusammen besitzt, darf doch nicht drin schalten und walten, anders als die kleinen Fürsten, die sie ehemals einzeln besaßen. Begreift ihr das?

Jetter. Erklärt's uns.

Vansen. Es ist so klar als die Sonne. Müßt ihr nicht nach euern Landrechten gerichtet werden? Woher käme das?

Ein Bürger. Wahrlich!

Vansen. Hat der Brüsseler nicht ein ander Recht als der Antwerper? Der Antwerper als der Genter? Woher käme denn das?

Anderer Bürger. Bei Gott!

Vansen. Aber, wenn ihr's so fortlaufen laßt, wird

PHILIPS DE TWEEDE.
KONING VAN SPANJE.

man's euch bald anders weisen. Pfui! Was Karl der Kühne,[1] Friedrich der Krieger, Karl der Fünfte nicht konnten, das tut nun Philipp durch ein Weib.

Soest. Ja, ja! Die alten Fürsten haben's auch schon probiert.

Vansen. Freilich! — Unsere Vorfahren paßten auf. Wie[2] sie einem Herrn gram wurden, fingen sie ihm etwa seinen Sohn und Erben weg, hielten ihn bei sich und gaben ihn nur auf die besten Bedingungen heraus.[3] Unsere Väter waren Leute! Die wußten, was ihnen nütz war! Die wußten etwas zu fassen und fest zu setzen! Rechte Männer! Dafür sind aber auch unsere Privilegien so deutlich, unsere Freiheiten so versichert.

Seifensieder. Was sprecht Ihr von Freiheiten?

Das Volk. Von unsern Freiheiten, von unsern Privilegien! Erzählt noch was von unsern Privilegien!

Vansen. Wir Brabanter besonders, obgleich alle Provinzen ihre Vorteile haben, wir sind am herrlichsten versehen. Ich habe alles gelesen.

Soest. Sagt an.

Jetter. Laßt hören.

Ein Bürger. Ich bitt' Euch.

Vansen. Erstlich steht geschrieben: **Der Herzog von Brabant soll uns ein guter und getreuer Herr sein.**

Soest. Gut? Steht das so?

Jetter. Getreu? Ist das wahr?

Vansen. Wie ich euch sage. Er ist uns verpflichtet, wie wir ihm. Zweitens: Er soll keine Macht oder eignen Willen an uns beweisen, merken lassen, oder gedenken zu gestatten, auf keinerlei Weise.

Jetter. Schön! Schön! nicht beweisen.

Soest. Nicht merken lassen.

Ein anderer. Und nicht gedenken zu gestatten! Das ist der Hauptpunkt. Niemanden gestatten, auf keinerlei Weise.

Vansen. Mit ausdrücklichen Worten.

Jetter. Schafft uns das Buch.

Ein Bürger. Ja, wir müssen's haben.

Andere. Das Buch! Das Buch!

Ein anderer. Wir wollen zu der Regentin gehen mit dem Buche.

Ein anderer. Ihr sollt das Wort führen, Herr Doktor.

Seifensieder. O die Tröpfe!

Andere. Noch etwas aus dem Buche!

Seifensieder. Ich schlage ihm die Zähne in den Hals, wenn er noch ein Wort sagt.

Das Volk. Wir wollen sehen, wer ihm etwas tut. Sagt uns was von den Privilegien! Haben wir noch mehr Privilegien?

Vansen. Mancherlei, und sehr gute, sehr heilsame. Da steht auch: der Landsherr soll den geistlichen Stand nicht verbessern oder mehren ohne Verwilligung des Adels und der Stände! Merkt das! Auch den Staat[1] des Landes nicht verändern.

Soest. Ist das so?

Vansen. Ich will's euch geschrieben zeigen, von zwei-, dreihundert Jahren her.

Bürger. Und wir leiden die neuen Bischöfe? Der Adel muß uns schützen, wir fangen Händel[2] an!

Andere. Und wir lassen uns von der Inquisition ins Bockshorn jagen?

Vansen. Das ist eure Schuld.

Das Volk. Wir haben noch Egmont! noch Oranien! Die sorgen für unser Bestes.

Vansen. Eure Brüder in Flandern haben das gute Werk angefangen.

Seifensieder. Du Hund! (Er schlägt ihn.)

Andere (widersetzen sich und rufen). Bist du auch ein Spanier?

Ein anderer. Was? den Ehrenmann?

Ein anderer. Den Gelahrten?[1]

(Sie fallen den Seifensieder an.)

Zimmermeister. Ums Himmels willen, ruht! (Andere mischen sich in den Streit.)

Zimmermeister. Bürger, was soll das?

(Buben pfeifen, werfen mit Steinen, hetzen Hunde an, Bürger stehn und gaffen, Volk läuft zu, andere gehn gelassen auf und ab, andere treiben allerei Schalkspossen, schreien und jubilieren.)

Andere. Freiheit und Privilegien! Privilegien und Freiheit!

Egmont (tritt auf mit Begleitung).

Egmont. Ruhig! Ruhig, Leute! Was gibt's? Ruhe! Bringt sie auseinander!

Zimmermeister. Gnädiger Herr, Ihr kommt wie ein Engel des Himmels. Stille! seht ihr nichts? Graf Egmont! Dem Grafen Egmont Reverenz!

Egmont. Auch hier? Was fangt ihr an? Bürger gegen Bürger! Hält sogar die Nähe unsrer königlichen Regentin diesen Unsinn nicht zurück? Geht aus einander, geht an euer Gewerbe. Es ist ein übles Zeichen, wenn ihr an Werktagen feiert. Was war's?

(Der Tumult stillt sich nach und nach, und alle stehen um ihn herum.)

Zimmermeister. Sie schlagen sich um ihre Privilegien.

Egmont. Die sie noch mutwillig zertrümmern werden — Und wer seid ihr? Ihr scheint mir rechtliche Leute.

Zimmermeister. Das ist unser Bestreben.

Egmont. Eures Zeichens?[1]

Zimmermeister. Zimmermann und Zunftmeister.

Egmont. Und Ihr?

Soest. Krämer.

Egmont. Ihr?

Jetter. Schneider.

Egmont. Ich erinnere mich, Ihr habt mit an den Livreen für meine Leute gearbeitet. Euer Name ist Jetter.

Jetter. Gnade, daß Ihr Euch dessen erinnert.

Egmont. Ich vergesse niemanden leicht,[2] den ich einmal gesehen und gesprochen habe. — Was an euch ist, Ruhe zu erhalten, Leute, das tut; ihr seid übel genug angeschrieben[3]. Reizt den König nicht mehr, er hat zuletzt doch die Gewalt in Händen. Ein ordentlicher Bürger, der sich ehrlich und fleißig nährt, hat überall so viel Freiheit als er braucht.

Zimmermeister. Ach wohl! das ist eben unsre Not! Die Tagdiebe, die Söffer, die Faulenzer, mit Euer Gnaden Verlaub, die stänkern[4] aus Langerweile und scharren aus Hunger nach[5] Privilegien und lügen den Neugierigen und Leichtgläubigen was vor, und um eine Kanne Bier bezahlt zu kriegen, fangen sie Händel an, die viel tausend Menschen unglücklich machen. Das ist ihnen eben recht. Wir halten unsre Häuser und Kasten zu gut verwahrt; da möchten sie gern uns mit Feuerbränden davon treiben.

Egmont. Allen Beistand sollt ihr finden; es sind Maßregeln genommen, dem Übel kräftig zu begegnen. Steht fest gegen die fremde Lehre und glaubt nicht, durch Aufruhr befestige man Privilegien. Bleibt zu Hause; leidet nicht, daß sie sich auf den Straßen rotten. Vernünftige Leute können viel tun.

(Indessen hat sich der größte Haufen verlaufen.)

Zimmermeister. Danken Euer Exzellenz, danken für die gute Meinung! Alles, was an uns liegt. (Egmont ab.) Ein gnädiger Herr! der echte Niederländer! Gar so nichts Spanisches.

Jetter. Hätten wir ihn nur zum Regenten! Man folgt' ihm gerne.

Soest. Das läßt der König wohl sein.[1] Den Platz besetzt er immer mit den Seinigen.

Jetter. Hast du das Kleid gesehen? Das war nach der neuesten Art, nach spanischem Schnitt.

Zimmermeister. Ein schöner Herr!

Jetter. Sein Hals wär' ein rechtes Fressen für einen Scharfrichter.

Soest. Bist du toll? Was kommt dir ein?

Jetter. Dumm genug, daß einem so etwas einfällt.— Es ist mir nun so. Wenn ich einen schönen langen Hals sehe, muß ich gleich wider Willen denken: der ist gut köpfen. — Die verfluchten Exekutionen! man kriegt sie nicht aus dem Sinne. Wenn die Bursche schwimmen, und ich seh' einen nackten Buckel, gleich fallen sie mir zu Dutzenden ein, die ich habe mit Ruten streichen sehen. Begegnet mir ein rechter Wanst, mein' ich, den seh' ich schon am Pfahl braten. Des Nachts im Traume zwickt mich's an allen Gliedern; man wird eben keine Stunde froh. Jede Lustbarkeit, jeden Spaß hab' ich bald vergessen; die fürchterlichen Gestalten sind mir wie vor die Stirne gebrannt.

Egmonts Wohnung.

Sekretär (an einem Tische mit Papieren; er steht unruhig auf).

Sekretär. Er kommt immer nicht! und ich warte schon zwei Stunden, die Feder in der Hand, die Papiere vor mir; und eben heute möcht' ich gern so zeitig fort. Es brennt mir unter den Sohlen. Ich kann vor Ungeduld kaum bleiben. „Sei auf die Stunde da," befahl er mir noch, ehe er wegging; nun kommt er nicht. Es ist so viel zu tun, ich werde vor Mitternacht nicht fertig. Freilich sieht er einem auch einmal durch die Finger. Doch hielt' ich's besser, wenn er strenge wäre und ließe einen auch wieder zur bestimmten Zeit. Man könnte sich einrichten. Von der Regentin ist er nun schon zwei Stunden weg; wer weiß, wen er unterwegs angefaßt hat.

Egmont (tritt auf).

Egmont. Wie sieht's aus?

Sekretär. Ich bin bereit, und drei Boten warten.

Egmont. Ich bin dir wohl zu lang geblieben; du machst ein verdrießlich Gesicht.

Sekretär. Euerm Befehl zu gehorchen, wart' ich schon lange. Hier sind die Papiere.

Egmont. Donna Elvira wird böse auf mich werden, wenn sie hört, daß ich dich abgehalten habe.

Sekretär. Ihr scherzt.

Egmont. Nein, nein. Schäme dich nicht. Du zeigst einen guten Geschmack. Sie ist hübsch; und es ist mir ganz recht, daß du auf dem Schlosse eine Freundin hast. Was sagen die Briefe?

Sekretär. Mancherlei und wenig Erfreuliches.

Egmont. Da ist gut, daß wir die Freude zu Hause

haben und sie nicht von auswärts zu erwarten brauchen. Ist viel gekommen?

Sekretär. Genug, und drei Boten warten.

Egmont. Sag' an, das Nötigste.

Sekretär. Es ist alles nötig.

Egmont. Eins nach dem andern, nur geschwind!

Sekretär. Hauptmann Breda schickt die Relation, was weiter in Gent und der umliegenden Gegend vorgefallen. Der Tumult hat sich meistens gelegt. —

Egmont. Er schreibt wohl noch von einzelnen Ungezogenheiten und Tollkühnheiten?

Sekretär. Ja! Es kommt noch manches vor.

Egmont. Verschone mich damit.

Sekretär. Noch sechs sind eingezogen worden, die bei Verwich das Marienbild umgerissen haben. Er fragt an, ob er sie auch wie die andern soll hängen lassen?

Egmont. Ich bin des Hängens müde. Man soll sie durchpeitschen, und sie mögen gehn.

Sekretär. Es sind zwei Weiber dabei; soll er die auch durchpeitschen?

Egmont. Die mag er verwarnen und laufen lassen.

Sekretär. Brink von Bredas Compagnie will heiraten. Der Hauptmann hofft, Ihr werdet's ihm abschlagen. Es sind so viele Weiber bei dem Haufen, schreibt er, daß, wenn wir ausziehen, es keinem Soldatenmarsch, sondern einem Zigeuner-Geschleppe ähnlich sehen wird.

Egmont. Dem mag's noch hingehn![1] Es ist ein schöner junger Kerl; er bat mich noch gar dringend, eh ich wegging. Aber nun soll's keinem mehr gestattet sein, so leid mir's tut, den armen Teufeln, die ohnedies geplagt genug sind, ihren besten Spaß zu versagen.

Sekretär. Zwei von Euern Leuten, Seter und Hart, haben einem Mädel, einer Wirtstochter, übel mitgespielt. Sie kriegten sie allein, und die Dirne konnte sich ihrer nicht erwehren.

Egmont. Wenn es ein ehrlich Mädchen ist, und sie haben Gewalt gebraucht, so soll er sie drei Tage hinter einander mit Ruten streichen lassen, und wenn sie etwas besitzen, soll er so viel davon einziehen, daß dem Mädchen eine Ausstattung gereicht werden kann.

Sekretär. Einer von den fremden Lehrern ist heimlich durch Comines gegangen und entdeckt worden. Er schwört, er sei im Begriff, nach Frankreich zu gehen. Nach dem Befehl soll er enthauptet werden.

Egmont. Sie sollen ihn in der Stille an die Grenze bringen und ihm versichern, daß er das zweite Mal nicht so wegkommt.

Sekretär. Ein Brief von Euerm Einnehmer. Er schreibt: es komme wenig Geld ein, er könne auf die Woche die verlangte Summe schwerlich schicken; der Tumult habe in alles die größte Konfusion gebracht.

Egmont. Das Geld muß herbei; er mag sehen, wie er es zusammenbringt.

Sekretär. Er sagt: er werde sein möglichstes tun und wolle endlich den Raymond, der Euch so lange schuldig ist, verklagen und in Verhaft nehmen lassen.

Egmont. Der hat ja versprochen, zu bezahlen.

Sekretär. Das letzte Mal setzte er sich selbst vierzehn Tage.

Egmont. So gebe man ihm noch vierzehn Tage; und dann mag er gegen ihn verfahren.

Sekretär. Ihr tut wohl. Es ist nicht Unvermögen; es

ist böser Wille. Er macht gewiß Ernst, wenn er sieht, Ihr spaßt nicht. — Ferner sagt der Einnehmer: er wolle den alten Soldaten, den Witwen und einigen andern, denen Ihr Gnadengehalte[1] gebt, die Gebühr einen halben Monat zurückhalten; man könne indessen Rat schaffen; sie möchten sich einrichten.

Egmont. Was ist da einzurichten? Die Leute brauchen das Geld nötiger als ich. Das soll er bleiben lassen.

Sekretär. Woher befehlt Ihr denn, daß er das Geld nehmen soll?

Egmont. Darauf mag *er* denken; es ist ihm im vorigen Briefe schon gesagt.

Sekretär. Deswegen tut er die Vorschläge.

Egmont. Die taugen nicht. Er soll auf was anders sinnen. Er soll Vorschläge tun, die annehmlich sind, und vor allem soll er das Geld schaffen.

Sekretär. Ich habe den Brief des Grafen Oliva wieder hieher gelegt. Verzeiht, daß ich Euch daran erinnere. Der alte Herr verdient vor allen andern eine ausführliche Antwort. Ihr wolltet ihm selbst schreiben. Gewiß, er liebt Euch, wie ein Vater.

Egmont. Ich komme nicht dazu. Und unter vielem Verhaßten ist mir das Schreiben das Verhaßteste. Du machst meine Hand ja so gut nach, schreib in meinem Namen. Ich erwarte Oranien. Ich komme nicht dazu und wünschte selbst, daß ihm auf seine Bedenklichkeiten was recht Beruhigendes geschrieben würde.

Sekretär. Sagt mir nur ungefähr Eure Meinung; ich will die Antwort schon aufsetzen und sie Euch vorlegen. Geschrieben soll sie werden, daß sie vor Gericht für Eure Hand gelten kann.

Egmont. Gib mir den Brief.[1] (Nachdem er hineingesehen.) Guter, ehrlicher Alter! Warst du in deiner Jugend auch wohl so bedächtig? Erstiegst du nie einen Wall? Bliebst du in der Schlacht, wo es die Klugheit anrät, hinten? — Der treue Sorgliche! Er will mein Leben und mein Glück und fühlt nicht, daß der schon tot ist, der um seiner Sicherheit willen lebt. — Schreib ihm, er möge unbesorgt sein; ich handle, wie ich soll, ich werde mich schon wahren; sein Ansehn bei Hofe soll er zu meinen Gunsten brauchen und meines vollkommnen Dankes gewiß sein.

Sekretär. Nichts weiter? O, er erwartet mehr.

Egmont. Was soll ich mehr sagen? Willst du mehr Worte machen, so steht's bei dir. Es dreht sich immer um den einen Punkt: ich soll leben, wie ich nicht leben mag. Daß ich fröhlich bin, die Sachen leicht nehme, rasch lebe, das ist mein Glück;[2] und ich vertausch' es nicht gegen die Sicherheit eines Totengewölbes. Ich habe nun zu der spanischen Lebensart nicht einen Blutstropfen in meinen Adern, nicht Lust, meine Schritte nach der neuen bedächtigen Hof-Kadenz[3] zu mustern. Leb' ich nur, um aufs Leben zu denken? Soll ich den gegenwärtigen Augenblick nicht genießen, damit ich des folgenden gewiß sei? Und diesen wieder mit Sorgen und Grillen verzehren?

Sekretär. Ich bitt' Euch, Herr, seid nicht so harsch und rauh gegen den guten Mann. Ihr seid ja sonst gegen alle freundlich. Sagt mir ein gefällig Wort, das den edeln Freund beruhige. Seht, wie sorgfältig er ist, wie leis er Euch berührt.

Egmont. Und doch berührt er immer diese Saite. Er weiß von alters her, wie verhaßt mir diese Ermahnungen sind; sie machen nur irre, sie helfen nichts. Und wenn ich ein Nachtwandler wäre und auf dem gefährlichen Gipfel eines Hauses spazierte, ist es freundschaftlich, mich beim Namen zu rufen und mich zu warnen, zu wecken und zu töten? Laßt jeden seines Pfades gehn; er mag sich wahren.

Sekretär. Es ziemt Euch, nicht zu sorgen; aber wer Euch kennt und liebt —

Egmont (in den Brief sehend). Da bringt er wieder die alten Märchen[1] auf, was wir an einem Abend in leichtem Übermut der Geselligkeit und des Weins getrieben und gesprochen, und was man daraus für Folgen und Beweise durchs ganze Königreich gezogen und geschleppt habe. — Nun gut! wir haben Schellenkappen, Narrenkutten auf unsrer Diener Ärmel sticken lassen und haben diese tolle Zierde nachher in ein Bündel Pfeile verwandelt; ein noch gefährlicher Symbol für alle, die deuten wollen, wo nichts zu deuten ist. Wir haben die und jene Torheit in einem lustigen Augenblick empfangen gleich und geboren; sind schuld, daß eine ganze edle Schar mit Bettelsäcken und mit einem selbstgewählten Unnamen[2] dem Könige seine Pflicht mit spottender Demut ins Gedächtnis rief; sind schuld — was ist's nun weiter? Ist ein Fastnachtsspiel gleich Hochverrat? Sind uns die kurzen bunten Lumpen zu mißgönnen, die ein jugendlicher Mut, eine angefrischte Phantasie um unsers Lebens arme Blöße hängen mag? Wenn ihr das Leben gar zu ernsthaft nehmt, was ist denn dran? Wenn uns der Morgen nicht zu neuen Freuden weckt, am Abend uns keine Lust zu hoffen übrig bleibt, ist's wohl des An- und Ausziehens[3] wert? Scheint mir die Sonne heut, um das zu überlegen, was gestern war? und um zu raten, zu verbinden, was nicht zu erraten, nicht zu verbinden ist, das Schicksal eines kommenden Tages? Schenke[1] mir diese Betrachungen; wir wollen sie Schülern und Höflingen überlassen. Die mögen sinnen und aussinnen, wandeln und schleichen, gelangen, wohin sie können, erschleichen, was sie können. — Kannst du von allem diesem etwas brauchen, daß deine Epistel kein Buch wird, so ist mir's recht. Dem guten Alten scheint alles viel zu wichtig. So drückt ein Freund, der lang unsre Hand gehalten, sie stärker noch einmal, wenn er sie lassen will.

Sekretär. Verzeiht mir! Es wird dem Fußgänger schwindlig, der einen Mann mit rasselnder Eile daher fahren sieht.

Egmont. Kind! Kind! nicht weiter! Wie von unsichtbaren Geistern gepeitscht, gehen die Sonnenpferde der Zeit mit unsers Schicksals leichtem Wagen durch; und uns bleibt nichts, als, mutig gefaßt, die Zügel festzuhalten und bald rechts, bald links, vom Steine hier, vom Sturze da, die Räder wegzulenken. Wohin es geht, wer weiß es? Erinnert er sich doch kaum, woher er kam.[2]

Sekretär. Herr! Herr!

Egmont. Ich stehe hoch und kann und muß noch höher steigen; ich fühle mir Hoffnung, Mut und Kraft. Noch hab' ich meines Wachstums Gipfel nicht erreicht; und steh' ich droben einst, so will ich fest, nicht ängstlich stehn. Soll ich fallen, so mag ein Donnerschlag, ein Sturmwind, ja, ein selbst verfehlter Schritt[3] mich abwärts in die Tiefe stürzen; da lieg' ich mit viel Tausenden. Ich habe nie verschmäht, mit meinen guten Kriegsgesellen um kleinen Gewinst das blutige Los zu werfen; und sollt' ich knickern, wenn's um den ganzen freien Wert des Lebens geht?

Sekretär. O Herr! Ihr wißt nicht, was für Worte Ihr sprecht! Gott erhalt Euch!

Egmont. Nimm deine Papiere zusammen. Oranien kommt. Fertige aus, was am nötigsten ist, daß die Boten fortkommen, eh die Tore geschlossen werden. Das andere hat Zeit. Den Brief an den Grafen laß bis morgen; versäume nicht, Elviren zu besuchen, und grüße sie von mir. — Horche, wie sich die Regentin befindet; sie soll nicht wohl sein, ob sie's gleich verbirgt. (Sekretär ab.)

Oranien (kommt).

Egmont. Willkommen, Oranien. Ihr scheint mir nicht ganz frei.[1]

Oranien. Was sagt Ihr zu unsrer Unterhaltung mit der Regentin?

Egmont. Ich fand in ihrer Art, uns aufzunehmen, nichts Außerordentliches. Ich habe sie schon öfter so gesehen. Sie schien mir nicht ganz wohl.

Oranien. Merktet Ihr nicht, daß sie zurückhaltender war? Erst wollte sie unser Betragen bei dem neuen Aufruhr des Pöbels gelassen[2] billigen, nachher merkte sie an, was sich doch auch für ein falsches Licht darauf werfen lasse; wich dann mit dem Gespräche zu ihrem alten gewöhnlichen Diskurs: daß man ihre liebevolle gute Art, ihre Freundschaft zu uns Niederländern nie genug erkannt, zu leicht behandelt habe, daß nichts einen erwünschten Ausgang nehmen wolle, daß sie am Ende wohl müde werden, der König sich zu andern Maßregeln entschließen müsse. Habt Ihr das gehört?

Egmont. Nicht alles; ich dachte unterdessen an was anders. Sie ist ein Weib, guter Oranien, und die möchten immer gern, daß sich alles unter ihr sanftes Joch gelassen schmiegte, daß jeder Herkules[1] die Löwenhaut ablegte und ihren Kunkelhof[2] vermehrte; daß, weil sie friedlich gesinnt sind, die Gärung, die ein Volk ergreift, der Sturm, den mächtige Nebenbuhler gegen einander erregen, sich durch ein freundlich Wort beilegen ließe und die widrigsten Elemente sich zu ihren Füßen in sanfter Eintracht vereinigten. Das ist ihr Fall; und da sie es dahin nicht bringen kann, so hat sie keinen Weg, als launisch zu werden, sich über Undankbarkeit, Unweisheit zu beklagen, mit schrecklichen Aussichten in die Zukunft zu drohen und zu drohen, daß sie — fortgehn will.

Oranien. Glaubt Ihr dasmal nicht, daß sie ihre Drohung erfüllt?

Egmont. Nimmermehr! Wie oft habe ich sie schon reisefertig gesehn! Wo will sie denn hin? Hier Statthalterin, Königin; glaubst du, daß sie es unterhalten[3] wird, am Hofe ihres Bruders unbedeutende Tage abzuhaspeln? oder nach Italien zu gehen und sich in alten Familienverhältnissen[4] herumzuschleppen?

Oranien. Man hält sie dieser Entschließung nicht fähig, weil Ihr sie habt zaudern, weil Ihr sie habt zurücktreten sehn;[5] dennoch liegt's wohl in ihr; neue Umstände treiben sie zu dem lang verzögerten Entschluß. Wenn sie ginge? und der König schickte einen andern?

Egmont. Nun, der würde kommen und würde eben auch zu tun finden. Mit großen Planen,[6] Projekten und Gedanken würde er kommen, wie er alles zurechtrücken, unterwerfen und zusammenhalten wolle; und würde heut mit dieser Kleinigkeit, morgen mit einer andern zu tun haben; übermorgen jene Hindernis[7] finden, einen Monat mit Entwürfen, einen andern mit Verdruß über fehlgeschlagne

WILLEM DE EERSTE
PRINS VAN ORANJE

Unternehmen, ein halb Jahr in Sorgen über eine einzige Provinz zubringen. Auch ihm wird die Zeit vergehn, der Kopf schwindeln und die Dinge wie zuvor ihren Gang halten, daß er, statt weite Meere nach einer vorgezogenen Linie zu durchsegeln, Gott danken mag, wenn er sein Schiff in diesem Sturme vom Felsen hält.

Oranien. Wenn man nun aber dem König zu einem Versuch riete?

Egmont. Der wäre?

Oranien. Zu sehen, was der Rumpf ohne Haupt anfinge.

Egmont. Wie?

Oranien. Egmont, ich trage viele Jahre her alle unsere Verhältnisse am Herzen, ich stehe immer wie über einem Schachspiele und halte keinen Zug des Gegners für unbedeutend; und wie müßige Menschen mit der größten Sorgfalt sich um die Geheimnisse der Natur bekümmern, so halt' ich es für Pflicht, für Beruf eines Fürsten, die Gesinnungen, die Ratschläge aller Parteien zu kennen. Ich habe Ursach', einen Ausbruch zu befürchten. Der König hat lange nach gewissen Grundsätzen gehandelt, er sieht, daß er damit nicht auskommt; was ist wahrscheinlicher, als daß er es auf einem andern Wege versucht?

Egmont. Ich glaub's nicht. Wenn man alt wird und hat so viel versucht und es will in der Welt nie zur Ordnung kommen, muß man es endlich wohl genug haben.

Oranien. Eins hat er noch nicht versucht.

Egmont. Nun?

Oranien. Das Volk zu schonen und die Fürsten zu verderben.

Egmont. Wie viele haben das schon lange gefürchtet! Es ist keine Sorge.

Oranien. Sonst war's Sorge; nach und nach ist mir's Vermutung, zuletzt Gewißheit geworden.

Egmont. Und hat der König treuere Diener als uns?

Oranien. Wir dienen ihm auf unsere Art; und untereinander können wir gestehen, daß wir des Königs Rechte und die unsrigen wohl abzuwägen wissen.

Egmont. Wer tut's nicht? Wir sind ihm untertan und gewärtig in dem, was ihm zukommt.

Oranien. Wenn er sich nun aber mehr zuschriebe und Treulosigkeit nennte, was wir heißen: auf unsre Rechte halten?

Egmont. Wir werden uns verteidigen können. Er rufe die Ritter des Vließes zusammen, wir wollen uns richten lassen.

Oranien. Und was wäre ein Urteil vor der Untersuchung? eine Strafe vor dem Urteil?

Egmont. Eine Ungerechtigkeit, der sich Philipp nie schuldig machen wird; und eine Torheit, die ich ihm und seinen Räten nicht zutraue.

Oranien. Und wenn sie nun ungerecht und töricht wären?

Egmont. Nein, Oranien, es ist nicht möglich. Wer sollte wagen, Hand an uns zu legen? — Uns gefangen zu nehmen, wär' ein verlornes und fruchtloses Unternehmen. Nein, sie wagen nicht, das Panier[1] der Tyrannei so hoch aufzustecken. Der Windhauch, der diese Nachricht übers Land brächte, würde ein ungeheures Feuer zusammentreiben. Und wohinaus wollten sie? Richten und verdammen kann nicht der König allein; und wollten sie meuchelmörderisch an unser Leben? — Sie können nicht wollen. Ein schrecklicher Bund würde in einem Augenblick das Volk vereinigen.

Haß und ewige Trennung vom spanischen Namen würde sich gewaltsam erklären.

Oranien. Die Flamme wütete dann über unserm Grabe, und das Blut unsrer Feinde flösse zum leeren Sühnopfer. Laß uns denken, Egmont.

Egmont. Wie sollten sie aber?

Oranien. Alba ist unterwegs.

Egmont. Ich glaub's nicht.

Oranien. Ich weiß es.

Egmont. Die Regentin wollte nichts wissen.

Oranien. Um desto mehr bin ich überzeugt. Die Regentin wird ihm Platz machen. Seinen Mordsinn kenn' ich, und ein Heer bringt er mit.

Egmont. Aufs neue die Provinzen zu belästigen? Das Volk wird höchst schwierig werden.

Oranien. Man wird sich der Häupter versichern.

Egmont. Nein! Nein!

Oranien. Laß uns gehen, jeder in seine Provinz. Dort wollen wir uns verstärken; mit offner Gewalt fängt er nicht an.

Egmont. Müssen wir ihn nicht begrüßen, wenn er kommt?

Oranien. Wir zögern.

Egmont. Und wenn er uns im Namen des Königs bei seiner Ankunft fordert?

Oranien. Suchen wir Ausflüchte.

Egmont. Uud wenn er dringt?

Oranien. Entschuldigen wir uns.

Egmont. Und wenn er drauf besteht?

Oranien. Kommen wir um so weniger.

Egmont. Und der Krieg ist erklärt, und wir sind die

Rebellen. Oranien, laß dich nicht durch Klugheit verführen; ich weiß, daß Furcht dich nicht weichen macht. Bedenke den Schritt.

Oranien. Ich hab' ihn bedacht.

Egmont. Bedenke, wenn du dich irrst, woran du schuld bist: an dem verderblichsten Kriege, der je ein Land verwüstet hat. Dein Weigern ist das Signal, das die Provinzen mit einmal zu den Waffen ruft, das jede Grausamkeit rechtfertigt, wozu Spanien von jeher nur gern den Vorwand gehascht hat. Was wir lange mühselig gestillt haben, wirst du mit einem Winke zur schrecklichsten Verwirrung aufhetzen. Denk' an die Städte, die Edeln, das Volk, an die Handlung, den Feldbau, die Gewerbe! und denke die Verwüstung, den Mord! — Ruhig sieht der Soldat wohl im Felde seinen Kameraden neben sich hinfallen; aber den Fluß herunter werden dir die Leichen der Bürger, der Kinder, der Jungfrauen entgegenschwimmen, daß du mit Entsetzen dastehst und nicht mehr weißt, wessen Sache du verteidigst, da die zu Grunde gehen, für deren Freiheit du die Waffen ergriffst. Und wie wird dir's sein, wenn du dir still sagen mußt: für meine Sicherheit ergriff ich sie.

Oranien. Wir sind nicht einzelne Menschen, Egmont. Ziemt es sich, uns für Tausende hinzugeben, so ziemt es sich auch, uns für Tausende zu schonen.

Egmont. Wer sich schont, muß sich selbst verdächtig werden.

Oranien. Wer sich kennt, kann sicher vor- und rückwärts gehen.

Egmont. Das Übel, das du fürchtest, wird gewiß durch deine Tat.

Oranien. Es ist klug und kühn, dem unvermeidlichen Übel entgegenzugehn.

Egmont. Bei so großer Gefahr kommt die leichteste Hoffnung in Anschlag.

Oranien. Wir haben nicht für den leisesten Fußtritt Platz mehr; der Abgrund liegt hart vor uns.

Egmont. Ist des Königs Gunst ein so schmaler Grund?

Oranien. So schmal nicht, aber schlüpfrig.

Egmont. Bei Gott! man tut ihm unrecht. Ich mag nicht leiden, daß man ungleich[1] von ihm denkt! Er ist Karls Sohn und keiner Niedrigkeit fähig.

Oranien. Die Könige tun nichts Niedriges.

Egmont. Man sollte ihn kennen lernen.

Oranien. Eben diese Kenntnis rät uns, eine gefährliche Probe nicht abzuwarten.

Egmont. Keine Probe ist gefährlich, zu der man Mut hat.

Oranien. Du wirst aufgebracht, Egmont.

Egmont. Ich muß mit meinen Augen sehen.

Oranien. O, sähst du diesmal nur mit den meinigen! Freund, weil du sie offen hast, glaubst du, du siehst. Ich gehe! Warte du Albas Ankunft ab, und Gott sei bei dir! Vielleicht rettet dich mein Weigern. Vielleicht, daß der Drache nichts zu fangen glaubt, wenn er uns nicht beide auf einmal verschlingt. Vielleicht zögert er, um seinen Anschlag sicherer auszuführen; und vielleicht siehest du indes die Sache in ihrer wahren Gestalt. Aber dann schnell! schnell! Rette! rette dich! — Leb' wohl! Laß deiner Aufmerksamkeit nichts entgehen: wie viel Mannschaft er mitbringt, wie er die Stadt besetzt, was für Macht die Regentin behält, wie deine Freunde gefaßt sind. Gib mir Nachricht — — — Egmont —

Egmont. Was willst du?

Oranien (ihn bei der Hand fassend). Laß dich überreden! Geh mit!

Egmont. Wie? Tränen, Oranien?

Oranien. Einen Verlornen zu beweinen, ist auch männlich.

Egmont. Du wähnst mich verloren?

Oranien. Du bist's. Bedenke! Dir bleibt nur eine kurze Frist. Leb' wohl! (ab.)

Egmont (allein). Daß andrer Menschen Gedanken solchen Einfluß auf uns haben! Mir wär' es nie eingekommen; und dieser Mann trägt seine Sorglichkeit in mich herüber. — Weg! — Das ist ein fremder Tropfen in meinem Blute. Gute Natur, wirf ihn wieder heraus! Und von meiner Stirne die sinnenden Runzeln wegzubaden, gibt es ja wohl noch ein freundlich Mittel.[1]

Dritter Aufzug.

Palast der Regentin.

Margarete von Parma.

Regentin. Ich hätte mir's vermuten sollen. Ha! Wenn man in Mühe und Arbeit vor sich hinlebt, denkt man immer, man tue das möglichste; und der von weitem zusieht und befiehlt, glaubt, er verlange nur das mögliche. — O die Könige! — Ich hätte nicht geglaubt, daß es mich so verdrießen könnte. Es ist so schön, zu herrschen! — Und abzudanken? — Ich weiß nicht, wie mein Vater es konnte, aber ich will es auch.

Machiavell (erscheint im Grunde).

Regentin. Tretet näher, Machiavell. Ich denke hier über den Brief meines Bruders.

Machiavell. Ich darf wissen, was er enthält?

Regentin. So viel zärtliche Aufmerksamkeit für mich, als Sorgfalt für seine Staaten. Er rühmt die Standhaftigkeit, den Fleiß und die Treue, womit ich bisher für die Rechte Seiner Majestät in diesen Landen gewacht habe. Er bedauert mich, daß mir das unbändige Volk so viel zu schaffen mache. Er ist von der Tiefe meiner Einsichten so vollkommen überzeugt, mit der Klugheit meines Betragens so außerordentlich zufrieden, daß ich fast sagen muß, der Brief ist für einen König zu schön geschrieben, für einen Bruder gewiß.

Machiavell. Es ist nicht das erste Mal, daß er Euch seine gerechte Zufriedenheit bezeigt.

Regentin. Aber das erste Mal, daß es rednerische Figur ist.

Machiavell. Ich versteh' Euch nicht.

Regentin. Ihr werdet. — Denn er meint nach diesem Eingange: ohne Mannschaft, ohne eine kleine Armee werde ich immer hier eine üble Figur spielen! Wir hätten, sagt er, unrecht getan, auf die Klagen der Einwohner unsre Soldaten aus den Provinzen zu ziehen. Eine Besatzung, meint er, die dem Bürger auf dem Nacken lastet, verbiete ihm durch ihre Schwere, große Sprünge zu machen.

Machiavell. Es würde die Gemüter äußerst aufbringen.

Regentin. Der König meint aber, hörst du? — Er meint, daß ein tüchtiger General, so einer, der gar keine Raison[1] annimmt, gar bald mit Volk und Adel, Bürgern und Bauern fertig werden[2] könne; — und schickt deswegen mit einem starken Heere — den Herzog von Alba.

Machiavell. Alba?

Regentin. Du wunderst dich?

Machiavell. Ihr sagt: er schickt. Er fragt wohl, ob er schicken soll?

Regentin. Der König fragt nicht; er schickt.

Machiavell. So werdet Ihr einen erfahrnen Krieger in Euren Diensten haben.

Regentin. In meinen Diensten? Rede grad heraus, Machiavell.

Machiavell. Ich möcht' Euch nicht vorgreifen.

Regentin. Und ich möchte mich verstellen![3] Es ist mir empfindlich, sehr empfindlich. Ich wollte lieber, mein

Bruder sagte, wie er's denkt, als daß er förmliche Episteln unterschreibt, die ein Staatssekretär aufsetzt.

Machiavell. Sollte man nicht einsehen? —

Regentin. Und ich kenne sie inwendig und auswendig. Sie möchten's gern gesäubert und gekehrt haben; und weil sie selbst nicht zugreifen, so findet ein jeder Vertrauen, der mit dem Besen in der Hand kommt. O, mir ist's als wenn ich den König und sein Conseil auf dieser Tapete gewirkt sähe.[1]

Machiavell. So lebhaft?

Regentin. Es fehlt kein Zug. Es sind gute Menschen drunter. Der ehrliche Rodrich, der so erfahren und mäßig ist, nicht zu hoch will und doch nichts fallen läßt, der gerade Alonzo, der fleißige Freneda, der feste Las Vargas und noch einige, die mitgehen, wenn die gute Partei mächtig wird. Da sitzt aber der hohläugige Toledaner[2] mit der ehrnen Stirne und dem tiefen Feuerblick, murmelt zwischen den Zähnen von Weibergüte, unzeitigem Nachgeben, und daß Frauen wohl von zugerittenen Pferden sich tragen lassen, selbst aber schlechte Stallmeister sind, und solche Späße, die ich ehmals von den politischen Herren habe mit durchhören müssen.

Machiavell. Ihr habt zu dem Gemälde einen guten Farbentopf gewählt.

Regentin. Gesteht nur, Machiavell: In meiner ganzen Schattierung, aus der ich allenfalls malen könnte, ist kein Ton so gelbbraun, gallenschwarz, wie Albas Gesichtsfarbe, und als die Farbe, aus der e r malt. Jeder ist bei ihm gleich ein Gotteslästerer, ein Majestätsschänder; denn aus diesem Kapitel kann man sie alle sogleich rädern, pfählen, vierteilen und verbrennen. — Das Gute, was ich hier getan habe, sieht gewiß in der Ferne wie nichts aus, eben weil's gut ist. — Da hängt er sich an jeden Mutwillen, der vorbei ist, erinnert an jede Unruhe, die gestillt ist; und es wird dem Könige vor den Augen so voll Meuterei, Aufruhr und Tollkühnheit, daß er sich vorstellt, sie fräßen sich hier einander auf, wenn eine flüchtig vorübergehende Ungezogenheit eines rohen Volks bei uns lange vergessen ist. Da faßt er einen recht herzlichen Haß auf die armen Leute; sie kommen ihm abscheulich, ja wie Tiere und Ungeheuer vor; er sieht sich nach Feuer und Schwert um und wähnt, so bändige man Menschen.

Machiavell. Ihr scheint mir zu heftig, Ihr nehmt die Sache zu hoch. Bleibt Ihr nicht Regentin?

Regentin. Das kenn' ich. Er wird eine Instruktion bringen. — Ich bin in Staatsgeschäften alt genug geworden, um zu wissen, wie man einen verdrängt, ohne ihm seine Bestallung zu nehmen. Erst wird er eine Instruktion bringen, die wird unbestimmt und schief[1] sein; er wird um sich greifen, denn er hat die Gewalt; und wenn ich mich beklage, wird er eine geheime Instruktion vorschützen; wenn ich sie sehen will, wird er mich herumziehen; wenn ich drauf bestehe, wird er mir ein Papier zeigen, das ganz was anders enthält; und wenn ich mich da nicht beruhige, gar nicht mehr tun, als wenn ich redete. — Indes wird er, was ich fürchte, getan und, was ich wünsche, weit abwärts gelenkt haben.

Machiavell. Ich wollt', ich könnt' Euch widersprechen.

Regentin. Was ich mit unsäglicher Geduld beruhigte, wird er durch Härte und Grausamkeiten wieder aufhetzen; ich werde vor meinen Augen mein Werk verloren sehn und überdies noch seine Schuld zu tragen haben.

Machiavell. Erwarten's Eure Hoheit.

Regentin. So viel Gewalt hab' ich über mich, um stille zu sein. Laß ihn kommen; ich werde ihm mit der besten Art Platz machen, eh er mich verdrängt.

Machiavell. So rasch diesen wichtigen Schritt?

Regentin. Schwerer, als du denkst. Wer zu herrschen gewohnt ist, wer's hergebracht hat,[1] daß jeden Tag das Schicksal von Tausenden in seiner Hand liegt, steigt vom Throne wie ins Grab. Aber besser so, als einem Gespenste gleich unter den Lebenden bleiben und mit hohlem Ansehn einen Platz behaupten wollen, den ihm ein anderer abgeerbt hat und nun besitzt und genießt.

Klärchens Wohnung.

Klärchen. Mutter.

Mutter. So eine Liebe wie Brackenburgs hab' ich nie gesehen; ich glaubte, sie sei nur in Heldengeschichten.

Klärchen (geht in der Stube auf und ab, ein Lied zwischen den Lippen summend).

Glücklich allein
Ist die Seele, die liebt.

Mutter. Er vermutet deinen Umgang mit Egmont; und ich glaube, wenn du ihm ein wenig freundlich tätest, wenn du wolltest, er heiratete dich noch.

Klärchen (singt).

Freudvoll
Und leidvoll,
Gedankenvoll sein;[1]
Langen[2]
Und bangen
In schwebender Pein;
Himmelhoch jauchzend,
Zum Tode betrübt;
Glücklich allein
Ist die Seele, die liebt.

Mutter. Laß das Heiopopeio.[3]

Klärchen. Scheltet mir's nicht; es ist ein kräftig Lied. Hab' ich doch schon manchmal ein großes Kind damit schlafen[4] gewiegt.

Mutter. Du hast doch nichts im Kopfe als deine Liebe. Vergäßest du nur nicht alles über das *eine*. Den Brackenburg solltest du in Ehren halten, sag' ich dir. Er kann dich noch einmal glücklich machen.

Klärchen. Er?

Mutter. O ja! es kommt eine Zeit! — Ihr Kinder seht nichts voraus und überhorcht unsre Erfahrungen. Die Jugend und die schöne Liebe, alles hat sein Ende; und es kommt eine Zeit, wo man Gott dankt, wenn man irgendwo unterkriechen kann.

Klärchen (schaudert, schweigt und fährt auf). Mutter, laß die Zeit kommen wie den Tod. Dran vorzudenken ist *schreckhaft!* — Und wenn er kommt! Wenn wir müssen — dann — wollen wir uns gebärden, wie wir können — Egmont, ich dich entbehren! — (In Tränen.) Nein, es ist nicht möglich, nicht *möglich*.

Egmont (in einem Reitermantel, den Hut ins Gesicht gedrückt).

Clärchen (singt.)

Freudvoll
Und leidvoll,
Gedankenvoll sein,
Langen
Und bangen
In schwebender Pein,
Himmelhoch jauchzend
Zum Tode betrübt,
Glücklich allein
Ist die Seele die liebt.

Egmont. Klärchen!

Klärchen (tut einen Schrei, fährt zurück.) Egmont! (Sie eilt auf ihn zu.) Egmont! (Sie umarmt ihn und ruht an ihm.) O du Guter, Lieber, Süßer! Kommst du? bist du da?

Egmont. Guten Abend, Mutter!

Mutter. Gott grüß' Euch, edler Herr! Meine Kleine ist fast vergangen, daß Ihr so lang ausbleibt; sie hat wieder den ganzen Tag von Euch geredet und gesungen.

Egmont. Ihr gebt mir doch ein Nachtessen?

Mutter. Zu viel Gnade. Wenn wir nur etwas hätten.

Klärchen. Freilich! Seid nur ruhig, Mutter; ich habe schon alles darauf eingerichtet, ich habe etwas zubereitet. Verratet mich nicht, Mutter.

Mutter. Schmal genug.

Klärchen. Wartet nur! Und dann denk' ich: wenn er bei mir ist, hab' ich gar keinen Hunger; da sollte er auch keinen großen Appetit haben, wenn ich bei ihm bin.

Egmont. Meinst du?

Klärchen (stampft mit dem Fuße und kehrt sich unwillig um).

Egmont. Wie ist dir?

Klärchen. Wie seid Ihr heute so kalt! Ihr habt mir noch keinen Kuß angeboten. Warum habt Ihr die Arme in den Mantel gewickelt, wie ein Wochenkind? Ziemt keinem Soldaten, noch Liebhaber, die Arme eingewickelt zu haben.

Egmont. Zuzeiten,[1] Liebchen, zuzeiten. Wenn der Soldat auf der Lauer steht und dem Feinde etwas ablisten möchte, da nimmt er sich zusammen, faßt sich selbst in seine Arme und kaut seinen Anschlag reif. Und ein Liebhaber —

Mutter. Wollt Ihr Euch nicht setzen? Es Euch nicht bequem machen? Ich muß in die Küche: Klärchen denkt an nichts, wenn Ihr da seid. Ihr müßt fürlieb nehmen.

Egmont. Euer guter Wille ist die beste Würze. (Mutter ab.)

Klärchen. Und was wäre denn meine Liebe?

Egmont. So viel du willst.

Klärchen. Vergleicht sie, wenn Ihr das Herz habt.

Egmont. Zuvörderst also. (Er wirft den Mantel ab und steht in einem prächtigen Kleide da.)[1]

Klärchen. O je!

Egmont. Nun hab' ich die Arme frei. (Er herzt sie.)

Klärchen. Laßt! Ihr verderbt Euch. (Sie tritt zurück.) Wie prächtig! Da darf ich Euch nicht anrühren.

Egmont. Bist du zufrieden? Ich versprach dir, einmal spanisch zu kommen.[2]

Klärchen. Ich bat Euch zeither nicht mehr drum; ich dachte, Ihr wolltet nicht — Ach und das goldne Vlies!

Egmont. Da siehst du's nun.

Klärchen. Das hat dir der Kaiser umgehängt?

Egmont. Ja, Kind! und Kette und Zeichen geben dem, der sie trägt, die edelsten Freiheiten. Ich erkenne auf Erden keinen Richter über meine Handlungen, als den Großmeister des Ordens mit dem versammelten Kapitel der Ritter.

Klärchen. O, du dürftest die ganze Welt über dich richten lassen. — Der Sammet ist gar zu herrlich, und die Passementarbeit![3] und das Gestickte! — Man weiß nicht, wo man anfangen soll.

Egmont. Sieh dich nur satt.

Klärchen. Und das goldne Vlies! Ihr erzähltet mir die Geschichte und sagtet: es sei ein Zeichen alles Großen und Kostbaren, was man mit Müh' und Fleiß[4] verdient und erwirbt. Es ist sehr kostbar — Ich kann's deiner Liebe vergleichen. — Ich trage sie ebenso am Herzen — und hernach —

Egmont. Was willst du sagen?

Klärchen. Hernach vergleicht sich's auch wieder nicht.

Egmont. Wie so?

Klärchen. Ich habe sie nicht mit Müh' und Fleiß erworben, nicht verdient.

Egmont. In der Liebe ist es anders. Du verdienst sie, weil du dich nicht darum bewirbst — und die Leute erhalten sie auch meist allein, die nicht darnach jagen.

Klärchen. Hast du das von dir abgenommen? Hast du diese stolze Anmerkung über dich selbst gemacht? du, den alles Volk liebt?

Egmont. Hätt' ich nur etwas für sie[1] getan! könnt' ich etwas für sie tun! Es ist ihr guter Wille, mich zu lieben.

Klärchen. Du warst gewiß heute bei der Regentin?

Egmont. Ich war bei ihr.

Klärchen. Bist du gut mit ihr?

Egmont. Es sieht einmal so aus. Wir sind einander freundlich und dienstlich.

Klärchen. Und im Herzen?

Egmont. Will ich ihr wohl. Jedes hat seine eignen Absichten. Das tut nichts zur Sache. Sie ist eine treffliche Frau, kennt ihre Leute und sähe tief genug, wenn sie auch nicht argwöhnisch wäre. Ich mache ihr viel zu schaffen, weil sie hinter meinem Betragen immer Geheimnisse sucht und ich keine habe.

Klärchen. So gar keine?

Egmont. Eh nun! einen kleinen Hinterhalt. Jeder Wein setzt Weinstein in den Fässern an mit der Zeit. Oranien ist doch noch eine bessere Unterhaltung für sie und eine immer neue Aufgabe. Er hat sich in den Kredit gesetzt, daß er immer etwas Geheimes vorhabe; und nun sieht sie immer nach seiner Stirne, was er wohl denken, auf seine Schritte, wohin er sie wohl richten möchte.

Klärchen. Verstellt sie sich?

Egmont. Regentin, und du fragst?

Klärchen. Verzeiht, ich wollte fragen: ist sie falsch?

Egmont. Nicht mehr und nicht weniger als jeder, der seine Absichten erreichen will.

Klärchen. Ich könnte mich in die Welt nicht finden.[1] Sie hat aber auch einen männlichen Geist, sie ist ein ander Weib als wir Nähterinnen und Köchinnen. Sie ist groß, herzhaft, entschlossen.

Egmont. Ja, wenn's nicht gar zu bunt geht. Diesmal ist sie doch ein wenig aus der Fassung.

Klärchen. Wie so?

Egmont. Sie hat auch ein Bärtchen auf der Oberlippe und manchmal einen Anfall von Podagra. Eine rechte Amazone!

Klärchen. Eine majestätische Frau! Ich scheute mich, vor sie zu treten.

Egmont. Du bist doch sonst nicht zaghaft — Es wäre auch nicht Furcht, nur jungfräuliche Scham.

Klärchen (schlägt die Augen nieder, nimmt seine Hand und lehnt sich an ihn).

Egmont. Ich verstehe dich! liebes Mädchen! du darfst die Augen aufschlagen. (Er küßt ihre Augen.)

Klärchen. Laß mich schweigen! Laß mich dich halten. Laß mich dir in die Augen sehen, alles drin finden, Trost und Hoffnung und Freude und Kummer. (Sie umarmt ihn und sieht ihn an.) Sag' mir! Sage! ich begreife nicht! bist du Egmont? der Graf Egmont? der große Egmont, der so viel Aufsehn macht, von dem in den Zeitungen steht, an dem die Provinzen hängen?

Egmont. Nein, Klärchen, das bin ich nicht.

Klärchen. Wie?

Egmont. Siehst du, Klärchen! — Laß mich sitzen! — (Er setzt sich, sie kniet vor ihn auf einen Schemel, legt ihre Arme auf seinen Schoß und sieht ihn an.) Jener Egmont[1] ist ein verdrießlicher, steifer, kalter Egmont, der an sich halten, bald dieses, bald jenes Gesicht machen muß; geplagt, verkannt, verwickelt ist, wenn ihn die Leute für froh und fröhlich halten; geliebt von einem Volke, das nicht weiß, was es will; geehrt und in die Höhe getragen von einer Menge, mit der nichts anzufangen ist; umgeben von Freunden, denen er sich nicht überlassen darf; beobachtet von Menschen, die ihm auf alle Weise beikommen[2] möchten; arbeitend und sich bemühend, oft ohne Zweck, meist ohne Lohn — o laß mich schweigen, wie es dem ergeht, wie es dem zu Mute ist. Aber dieser, Klärchen, der ist ruhig, offen, glücklich, geliebt und gekannt von dem besten Herzen, das auch er ganz kennt und mit voller Liebe und Zutrauen an das seine drückt. (Er umarmt sie.) Das ist dein Egmont![3]

Klärchen. So laß mich sterben! Die Welt hat keine Freuden auf[4] diese!

Vierter Aufzug.

Straße.

Jetter. Zimmermeister.

Jetter. He! Pst! He, Nachbar, ein Wort!

Zimmermeister. Geh deines Pfads und sei ruhig.

Jetter. Nur ein Wort. Nichts Neues?

Zimmermeister. Nichts, als daß uns von Neuem[1] zu reden verboten ist.

Jetter. Wie?

Zimmermeister. Tretet hier ans Haus an. Hütet Euch! Der Herzog von Alba hat gleich bei seiner Ankunft einen Befehl ausgehen lassen, dadurch zwei oder drei, die auf der Straße zusammen sprechen, des Hochverrats ohne Untersuchung schuldig erklärt sind.

Jetter. O weh!

Zimmermeister. Bei ewiger Gefangenschaft ist verboten, von Staatssachen zu reden.

Jetter. O unsre Freiheit!

Zimmermeister. Und bei Todesstrafe soll niemand die Handlungen der Regierung mißbilligen.

Jetter. O unsre Köpfe!

Zimmermeister. Und mit großem Versprechen werden Väter, Mütter, Kinder, Verwandte, Freunde, Dienstboten eingeladen, was in dem Innersten des Hauses vorgeht, bei dem besonders niedergesetzten Gerichte zu offenbaren.

Jetter. Gehen wir nach Hause.

Zimmermeister. Und den Folgsamen ist versprochen, daß sie weder an Leibe, noch Ehre, noch Vermögen einige Kränkung erdulden sollen.

Jetter. Wie gnädig! War mir's doch gleich weh, wie der Herzog in die Stadt kam. Seit der Zeit ist mir's, als wäre der Himmel mit einem schwarzen Flor überzogen und hinge so tief herunter, daß man sich bücken müsse, um nicht dran zu stoßen.

Zimmermeister. Und wie haben dir seine Soldaten gefallen? Gelt! das ist eine andre Art von Krebsen,[1] als wir sie sonst gewohnt waren.

Jetter. Pfui! Es schnürt einem das Herz ein, wenn man so einen Haufen die Gassen hinab marschieren sieht. Kerzengerad, mit unverwandtem Blick, ein Tritt, so viel ihrer sind. Und wenn sie auf der Schildwache stehen und du gehst an einem vorbei, ist's, als wenn er dich durch und durch sehen wollte, und sieht so steif und mürrisch aus, daß du auf allen Ecken einen Zuchtmeister zu sehen glaubst. Sie tun mir gar nicht wohl. Unsre Miliz war doch noch ein lustig Volk; sie nahmen sich was heraus, standen mit ausgegrätschten[2] Beinen da, hatten den Hut überm Ohr, lebten und ließen leben; diese Kerle aber sind wie Maschinen, in denen ein Teufel sitzt.

Zimmermeister. Wenn so einer ruft: „Halt!" und anschlägt, meinst du, man hielte?

Jetter. Ich wäre gleich des Todes.

Zimmermeister. Gehn wir nach Hause.

Jetter. Es wird nicht gut. Adieu.

Soest (tritt dazu).

Soest. Freunde! Genossen!

Zimmermeister. Still! Laßt uns gehen!

Soest. Wißt ihr?

Jetter. Nur zuviel!

Soest. Die Regentin ist weg.

Jetter. Nun gnad' uns Gott!

Zimmermeister. Die hielt uns noch.

Soest. Auf einmal und in der Stille. Sie konnte sich mit dem Herzog nicht vertragen; sie ließ dem Adel melden, sie komme wieder. Niemand glaubt's.

Zimmermeister. Gott verzeih's dem Adel, daß er uns diese neue Geißel über den Hals gelassen hat. Sie hätten es abwenden können. Unsre Privilegien sind hin.

Jetter. Um Gottes willen nichts von Privilegien! Ich wittre den Geruch von einem Exekutionsmorgen; die Sonne will nicht hervor, die Nebel stinken.

Soest. Oranien ist auch weg.

Zimmermeister. So sind wir denn ganz verlassen!

Soest. Graf Egmont ist noch da.

Jetter. Gott sei Dank! Stärken ihn alle Heiligen, daß er sein Bestes tut; der ist allein was vermögend.

Vansen (tritt auf.)

Vansen. Find' ich endlich ein paar, die noch nicht untergekrochen sind?

Jetter. Tut uns den Gefallen und geht fürbaß.[1]

Vansen. Ihr seid nicht höflich.

Zimmermeister. Es ist gar keine Zeit zu Komplimenten. Juckt Euch der Buckel wieder?[2] Seid Ihr schon durchgeheilt?

Vansen. Fragt einen Soldaten nach seinen Wunden! Wenn ich auf Schläge was gegeben hätte, wäre sein' Tage[3] nichts aus mir geworden.

Jetter. Es kann ernstlicher werden.

Vansen. Ihr spürt von dem Gewitter, das aufsteigt, eine erbärmliche Mattigkeit in den Gliedern, scheint's.

Zimmermeister. Deine Glieder werden sich bald wo anders[1] eine Motion machen, wenn du nicht ruhst.

Vansen. Armselige Mäuse, die gleich verzweifeln, wenn der Hausherr eine neue Katze anschafft! Nur ein bißchen anders; aber wir treiben unser Wesen vor wie nach,[2] seid nur ruhig.

Zimmermeister. Du bist ein verwegener Taugenichts.

Vansen. Gevatter Tropf![3] Laß du den Herzog nur gewähren. Der alte Kater sieht aus, als wenn er Teufel statt Mäuse gefressen hätte und könnte sie nun nicht verdauen. Laßt ihn nur erst; er muß auch essen, trinken, schlafen wie andere Menschen. Es ist mir nicht bange, wenn wir unsere Zeit recht nehmen. Im Anfange geht's rasch; nachher wird er auch finden, daß in der Speisekammer unter den Speckseiten besser leben ist und des Nachts zu ruhen, als auf dem Fruchtboden einzelne Mäuschen zu erlisten. Geht nur, ich kenne die Statthalter.

Zimmermeister. Was so einem Menschen alles durchgeht! Wenn ich in meinem Leben so etwas gesagt hätte, hielt' ich mich keine Minute für sicher.

Vansen. Seid nur ruhig. Gott im Himmel erfährt nichts von euch Würmern, geschweige der Regent.

Jetter. Lästermaul!

Vansen. Ich weiß andere, denen es besser wäre, sie hätten statt ihres Heldenmuts eine Schneiderader im Leibe.

Zimmermeister. Was wollt Ihr damit sagen?

Vansen. Hm! den Grafen mein' ich.

Jetter. Egmont! Was soll der fürchten?

Vansen. Ich bin ein armer Teufel und könnte ein ganzes

Jahr leben von dem, was er in einem Abende verliert. Und doch könnt' er mir sein Einkommen eines ganzen Jahres geben, wenn er meinen Kopf auf eine Viertelstunde hätte.

Jetter. Du denkst dich was Rechts. Egmonts Haare sind gescheiter als dein Hirn.

Vansen. Red't Ihr![1] Aber nicht feiner. Die Herren betrügen sich am ersten. Er sollte nicht trauen.

Jetter. Was er schwätzt! So ein Herr!

Vansen. Eben weil er kein Schneider ist.

Jetter. Ungewaschen Maul!

Vansen. Dem wollt' ich Eure Courage[2] nur eine Stunde in die Glieder wünschen, daß sie ihm da Unruh' machte und ihn so lange neckte und juckte, bis er aus der Stadt müßte.

Jetter. Ihr redet recht unverständig; er ist so sicher wie der Stern am Himmel.

Vansen. Hast du nie einen sich schneuzen[3] gesehn? Weg war er!

Zimmermeister. Wer will ihm denn was tun?

Vansen. Wer will? Willst du's etwa hindern? Willst du einen Aufruhr erregen, wenn sie ihn gefangen nehmen?

Jetter. Ah!

Vansen. Wollt ihr eure Rippen für ihn wagen?

Soest. Eh!

Vansen (sie nachäffend). Ih! Oh! Uh! Verwundert euch durchs ganze Alphabet. So ist's und bleibt's! Gott bewahre ihn!

Jetter. Ich erschrecke über Eure Unverschämtheit. So ein edler, rechtschaffener Mann sollte was zu befürchten haben?

Vansen. Der Schelm sitzt überall im Vorteil. Auf dem Armensünderstühlchen hat er den Richter zum Narren; auf dem Richterstuhl macht er den Inquisiten[4] mit Lust zum Verbrecher. Ich habe so ein Protokoll abzuschreiben gehabt, wo der Kommissarius schwer Lob und Geld vom Hofe erhielt, weil er einen ehrlichen Teufel, an den man wollte,[1] zum Schelmen[2] verhört hatte.

Zimmermeister. Das ist wieder frisch[3] gelogen. Was wollen sie denn heraus verhören, wenn einer unschuldig ist?

Vansen. O Spatzenkopf! Wo nichts heraus zu verhören ist, da verhört man hinein. Ehrlichkeit macht unbesonnen, auch wohl trotzig. Da fragt man erst sachte weg, und der Gefangne ist stolz auf seine Unschuld, wie sie's heißen, und sagt alles geradezu, was ein Verständiger verbärge. Dann macht der Inquisitor aus den Antworten wieder Fragen und paßt ja auf, wo irgend ein Widersprüchelchen erscheinen will; da knüpft er seinen Strick an; und läßt sich der dumme Teufel betreten, daß er hier etwas zu viel, dort etwas zu wenig gesagt, oder wohl gar aus Gott weiß was für einer Grille einen Umstand verschwiegen hat, auch wohl irgend an einem Ende sich hat schrecken lassen: dann sind wir[4] auf dem rechten Weg! Und ich versichre euch, mit mehr Sorgfalt suchen die Bettelweiber nicht die Lumpen aus dem Kehricht, als so ein Schelmenfabrikant aus kleinen, schiefen, verschobenen, verrückten, verdrückten, geschlossenen, bekannten, geleugneten Anzeigen und Umständen sich endlich einen strohlumpenen Vogelscheu[5] zusammenkünstelt, um wenigstens seinen Inquisiten in effigie hängen zu können. Und Gott mag der arme Teufel danken, wenn er sich noch kann hängen sehen.[6]

Jetter. Der hat eine geläufige Zunge.

Zimmermeister. Mit Fliegen mag das angehen. Die Wespen lachen eures Gespinstes.

Vansen. Nachdem die Spinnen sind.[7] Seht, der lange Herzog hat euch so ein rein Ansehn von einer Kreuzspinne;

nicht einer dickbäuchigen, die sind weniger schlimm, aber so einer langfüßigen, schmalleibigen, die vom Fraße nicht feist wird und recht dünne Fäden zieht, aber desto zähere.

Jetter. Egmont ist Ritter des goldnen Vließes; wer darf Hand an ihn legen? Nur von seinesgleichen kann er gerichtet werden, nur vom gesamten Orden. Dein loses Maul, dein böses Gewissen verführen dich zu solchem Geschwätz.

Vansen. Will ich ihm darum übel? Mir kann's recht sein. Es ist ein trefflicher Herr. Ein paar meiner guten Freunde, die anderwärts schon wären gehangen[1] worden, hat er mit einem Buckel voll Schläge verabschiedet. Nun geht! Geht! Ich rat' es euch selbst. Dort seh' ich wieder eine Runde antreten; die sehen nicht aus, als wenn sie so bald Brüderschaft mit uns trinken würden. Wir wollen's abwarten und nur sachte zusehen. Ich hab' ein paar Nichten und einen Gevatter Schenkwirt; wenn sie von denen gekostet haben und werden dann nicht zahm, so sind sie ausgepichte[2] Wölfe.

Der Culenburgische Palast. Wohnung des Herzogs von Alba.

Silva und Gomez (begegnen einander).

Silva. Hast du die Befehle des Herzogs ausgerichtet?

Gomez. Pünktlich. Alle tägliche[3] Runden sind beordert, zur bestimmten Zeit an verschiedenen Plätzen einzutreffen, die ich ihnen bezeichnet habe; sie gehen indes, wie gewöhnlich, durch die Stadt, um Ordnung zu erhalten. Keiner weiß von dem andern, jeder glaubt, der Befehl gehe ihn allein an, und in einem Augenblick kann alsdann der Cordon gezogen und alle Zugänge zum Palast können besetzt sein. Weißt du die Ursache dieses Befehls?

Silva. Ich bin gewohnt, blindlings zu gehorchen. Und wem gehorcht sich's leichter, als dem Herzoge? da bald der Ausgang beweist, daß er recht befohlen hat.

Gomez. Gut! Gut! Auch scheint es mir kein Wunder, daß du so verschlossen und einsilbig wirst wie er, da du immer um ihn sein mußt. Mir kommt es fremd vor, da ich den leichteren italienischen Dienst gewohnt bin. An Treue und Gehorsam bin ich der Alte;[1] aber ich habe mir das Schwätzen und Räsonieren angewöhnt. Ihr schweigt alle und laßt es euch nie wohl sein. Der Herzog gleicht mir einem ehrnen Turm ohne Pforte, wozu die Besatzung Flügel hätte. Neulich hört' ich ihn bei Tafel von einem frohen freundlichen Menschen[2] sagen: er sei wie eine schlechte Schenke mit einem ausgesteckten Branntweinzeichen, um Müßiggänger, Bettler und Diebe herein zu locken.

Silva. Und hat er uns nicht schweigend hierher geführt?

Gomez. Dagegen ist nichts zu sagen. Gewiß! Wer Zeuge seiner Klugheit war, wie er die Armee aus Italien hierher brachte, der hat etwas gesehen. Wie er sich durch Freund und Feind, durch die Franzosen, Königlichen und Ketzer,[3] durch die Schweizer und Verbundnen gleichsam[4] durchschmiegte, die strengste Mannszucht hielt und einen Zug, den man so gefährlich achtete, leicht und ohne Anstoß zu leiten wußte! — Wir haben was gesehen, was lernen können.

Silva. Auch hier! Ist nicht alles still und ruhig, als wenn kein Aufstand gewesen wäre?

Gomez. Nun, es war auch schon meist still, als wir herkamen.

Silva. In den Provinzen ist es viel ruhiger geworden; und wenn sich noch einer bewegt, so ist es, um zu entfliehen. Aber auch diesem wird er die Wege bald versperren, denk' ich.

Gomez. Nun wird er erst die Gunst des Königs gewinnen.

Silva. Und uns bleibt nichts angelegener, als uns die seinige zu erhalten. Wenn der König hieher kommt, bleibt gewiß der Herzog und jeder, den er empfiehlt, nicht unbelohnt.

Gomez. Glaubst du, daß der König kommt?

Silva. Es werden so viele Anstalten gemacht, daß es höchst wahrscheinlich ist.

Gomez. Mich überreden sie nicht.

Silva. So rede wenigstens nicht davon. Denn wenn des Königs Absicht ja nicht sein sollte, zu kommen, so ist sie's doch wenigstens gewiß, daß man es glauben soll.

Ferdinand[1] (Albas natürlicher Sohn).

Ferdinand. Ist mein Vater noch nicht heraus?

Silva. Wir warten auf ihn.

Ferdinand. Die Fürsten werden bald hier sein.

Gomez. Kommen sie heute?

Ferdinand. Oranien und Egmont.

Gomez (leise zu Silva). Ich begreife etwas.

Silva. So behalt es für dich.

Herzog von Alba.

(Wie er herein- und hervortritt, treten die andern zurück.)

Alba. Gomez!

Gomez (tritt vor). Herr!

Alba. Du hast die Wachen verteilt und beordert?

Gomez. Aufs genaueste. Die täglichen Runden —

Alba. Genug. Du wartest in der Galerie. Silva wird dir den Augenblick sagen, wenn du sie zusammenziehen, die Zugänge nach dem Palast besetzen sollst. Das übrige weißt du.

Gomez. Ja, Herr! (ab.)

Alba. Silva!

Silva. Hier bin ich.

Alba. Alles, was ich von jeher an dir geschätzt habe, Mut, Entschlossenheit, unaufhaltsames Ausführen, das zeige heut.

Silva. Ich danke Euch, daß Ihr mir Gelegenheit gebt, zu zeigen, daß ich der Alte bin.

Alba. Sobald die Fürsten bei mir eingetreten sind, dann eile gleich, Egmonts Geheimschreiber gefangen zu nehmen. Du hast alle Anstalten gemacht, die übrigen, welche bezeichnet sind, zu fahen?[1]

Silva. Vertrau' auf uns. Ihr Schicksal wird sie, wie eine wohlberechnete Sonnenfinsternis, pünktlich und schrecklich treffen.

Alba. Hast du sie genau beobachten lassen?

Silva. Alle; den Egmont vor andern. Er ist der einzige, der, seit du hier bist, sein Betragen nicht geändert hat. Den ganzen Tag von einem Pferd aufs andere, ladet Gäste, ist immer lustig und unterhaltend bei Tafel, würfelt, schießt und schleicht nachts zum Liebchen. Die andern haben dagegen eine merkliche Pause in ihrer Lebensart gemacht; sie bleiben bei sich; vor ihrer Türe sieht's aus, als wenn ein Kranker im Hause wäre.

Alba. Drum rasch! eh sie uns wider Willen genesen.

Silva. Ich stelle sie.[2] Auf deinen Befehl überhäufen wir sie mit dienstfertigen Ehren. Ihnen graut's; politisch[3] geben sie uns einen ängstlichen Dank, fühlen, das Rätlichste sei, zu entfliehen. Keiner wagt einen Schritt, sie zaudern, können sich nicht vereinigen; und einzeln etwas Kühnes zu tun, hält sie der Gemeingeist ab. Sie möchten gern sich jedem Verdacht entziehen und machen sich immer verdächtiger. Schon seh' ich mit Freuden deinen ganzen Anschlag ausgeführt.

FERDINAND ALVAREZ VAN TOLEDO
HARTOGH VAN ALVA.

Alba. Ich freue mich nur über das Geschehene, und auch über das nicht leicht; denn es bleibt stets noch übrig, was uns zu denken und zu sorgen gibt. Das Glück ist eigensinnig, oft das Gemeine, das Nichtswürdige zu adeln und wohlüberlegte Taten mit einem gemeinen Ausgang zu entehren. Verweile, bis die Fürsten kommen, dann gib Gomez die Ordre, die Straßen zu besetzen, und eile selbst, Egmonts Schreiber und die übrigen gefangen zu nehmen, die dir bezeichnet sind. Ist es getan, so komm hierher und meld' es meinem Sohne, daß er mir in den Rat die Nachricht bringe.

Silva. Ich hoffe diesen Abend vor dir stehn zu dürfen.

Alba (geht nach seinem Sohne, der bisher in der Galerie gestanden).

Silva. Ich traue mir es nicht zu sagen; aber meine Hoffnung schwankt. Ich fürchte, es wird nicht werden, wie er denkt. Ich sehe Geister vor mir, die still und sinnend auf schwarzen Schalen das Geschick der Fürsten und vieler Tausende wägen. Langsam wankt das Zünglein auf und ab; tief scheinen die Richter zu sinnen; zuletzt sinkt diese Schale, steigt jene, angehaucht vom Eigensinn des Schicksals, und entschieden ist's. (Ab.)

Alba (mit Ferdinand hervortretend). Wie fandst du die Stadt?

Ferdinand. Es hat sich alles gegeben. Ich ritt, als wie zum Zeitvertreib, Straß' auf, Straß' ab. Eure wohlverteilten Wachen halten die Furcht so angespannt, daß sie sich nicht zu lispeln untersteht. Die Stadt sieht einem Felde ähnlich, wenn das Gewitter von weitem leuchtet; man erblickt keinen Vogel, kein Tier, als das eilend nach einem Schutzorte schlüpft.

Alba. Ist dir nichts weiter begegnet?

Ferdinand. Egmont kam mit einigen auf den Markt geritten; wir grüßten uns; er hatte ein rohes Pferd, das ich ihm loben mußte. „Laßt uns eilen, Pferde zuzureiten; wir werden sie bald brauchen!“ rief er mir entgegen. Er werde mich noch heute wiedersehn, sagte er, und komme auf Euer Verlangen, mit Euch zu ratschlagen.

Alba. Er wird dich wiedersehn.

Ferdinand. Unter allen Rittern, die ich hier kenne, gefällt er mir am besten. Es scheint, wir werden Freunde sein.

Alba. Du bist noch immer zu schnell und wenig behutsam; immer erkenn' ich in dir den Leichtsinn deiner Mutter, der mir sie unbedingt in die Arme lieferte. Zu mancher gefährlichen Verbindung lud dich der Anschein voreilig ein.

Ferdinand. Euer Wille findet mich bildsam.

Alba. Ich vergebe deinem jungen Blute dies leichtsinnige Wohlwollen, diese unachtsame Fröhlichkeit. Nur vergiß nicht, zu welchem Werke ich gesandt bin und welchen Teil ich dir dran geben möchte.

Ferdinand. Erinnert mich und schont mich nicht, wo Ihr es nötig haltet.

Alba (nach einer Pause). Mein Sohn!

Ferdinand. Mein Vater!

Alba. Die Fürsten kommen bald, Oranien und Egmont kommen. Es ist nicht Mißtrauen, daß ich dir erst jetzt entdecke, was geschehen soll. Sie werden nicht wieder von hinnen gehn.

Ferdinand. Was sinnst du?

Alba. Es ist beschlossen, sie festzuhalten. — Du erstaunst! Was du zu tun hast, höre; die Ursachen sollst du wissen, wenn es geschehn ist. Jetzt bleibt keine Zeit, sie auszulegen. Mit dir allein wünscht' ich das Größte, das Geheimste zu besprechen; ein starkes Band hält uns zusammengefesselt; du bist mir wert und lieb; auf dich möcht' ich alles häufen. Nicht die Gewohnheit, zu gehorchen allein möcht' ich dir einprägen, auch den Sinn auszudenken,[1] zu befehlen, auszuführen, wünscht' ich in dir fortzupflanzen; dir ein großes Erbteil, dem Könige den brauchbarsten Diener zu hinterlassen; dich mit dem Besten, was ich habe, auszustatten, daß du dich nicht schämen dürfest, unter deine Brüder zu treten.

Ferdinand. Was werd' ich dir nicht für diese Liebe schuldig, die du mir allein zuwendest, indem ein ganzes Reich vor dir zittert.

Alba. Nun höre, was zu tun ist. Sobald die Fürsten eingetreten sind, wird jeder Zugang zum Palaste besetzt. Dazu hat Gomez die Ordre. Silva wird eilen, Egmonts Schreiber mit den Verdächtigsten gefangen zu nehmen. Du hältst die Wache am Tore und in den Höfen in Ordnung. Vor allen Dingen besetze diese Zimmer hier neben mit den sichersten Leuten; dann warte auf der Galerie bis Silva wiederkommt, und bringe mir irgend ein unbedeutend Blatt herein, zum Zeichen, daß sein Auftrag ausgerichtet ist. Dann bleib im Vorsaale, bis Oranien weggeht; folg' ihm; ich halte Egmont hier, als ob ich ihm noch was zu sagen hätte. Am Ende der Galerie fordre Oraniens Degen, rufe die Wache an, verwahre schnell den gefährlichsten Mann; und ich fasse Egmont hier.

Ferdinand. Ich gehorche, mein Vater. Zum erstenmal mit schwerem Herzen und mit Sorge.

Alba. Ich verzeihe dir's; es ist der erste große Tag, den du erlebst.

Silva (tritt herein).

Silva. Ein Bote von Antwerpen. Hier ist Oraniens Brief! Er kommt nicht.

Alba. Sagt' es der Bote?

Silva. Nein, mir sagt's das Herz.

Alba. Aus dir spricht mein böser Genius. (Nachdem er den Brief gelesen, winkt er beiden, und sie ziehen sich in die Galerie zurück. Er bleibt allein auf dem Vorderteile.) Er kommt nicht! Bis auf den letzten Augenblick verschiebt er, sich zu erklären. Er wagt es, nicht zu kommen! So war denn diesmal wider Vermuten der Kluge klug genug, nicht klug zu sein![1] — Es rückt die Uhr! Noch einen kleinen Weg des Seigers,[2] und ein großes Werk ist getan oder versäumt, unwiderbringlich versäumt; denn es ist weder nachzuholen, noch zu verheimlichen. Längst hatt' ich alles reiflich abgewogen und mir auch diesen Fall gedacht, mir festgesetzt, was auch in diesem Falle zu tun sei; und jetzt, da es zu tun ist, wehr' ich mir kaum, daß nicht das Für und Wider mir aufs neue durch die Seele schwankt. — Ist's rätlich, die andern zu fangen, wenn er mir entgeht? — Schieb' ich es auf und lass' Egmont mit den Seinigen, mit so vielen entschlüpfen, die nun, vielleicht nur heute noch, in meinen Händen sind? So zwingt dich das Geschick denn auch, du Unbezwinglicher? Wie lang gedacht! Wie wohl bereitet! Wie groß, wie schön der Plan! Wie nah die Hoffnung ihrem Ziele! Und nun im Augenblick des Entscheidens bist du zwischen zwei Übel gestellt; wie in einen Lostopf greifst du in die dunkle Zukunft; was du fassest, ist noch zugerollt, dir unbewußt, sei's Treffer oder Fehler! (Er wird aufmerksam, wie einer, der etwas hört, und tritt ans Fenster.) Er ist es! — Egmont! Trug dich dein Pferd so leicht herein und scheute vor dem Blutgeruche[3] nicht und vor dem Geiste mit dem blanken Schwert, der an der Pforte dich empfängt? — Steig ab! — So bist du mit dem einen Fuß im Grab! und so mit beiden! — Ja, streichl' es nur und klopfe für seinen mutigen Dienst zum letztenmale den Nacken ihm — Und mir bleibt keine Wahl. In der

Verblendung, wie hier Egmont naht, kann er dir nicht zum zweitenmal sich liefern! — Hört!

Ferdinand und **Silva** (treten eilig herbei).

Alba. Ihr tut, was ich befahl; ich ändre meinen Willen nicht. Ich halte, wie es gehn will, Egmont auf, bis du mir von Silva die Nachricht gebracht hast. Dann bleib in der Nähe. Auch dir raubt das Geschick das große Verdienst, des Königs größten Feind mit eigener Hand gefangen zu haben. (Zu Silva.) Eile! (Zu Ferdinand.) Geh ihm entgegen! (Alba bleibt einige Augenblicke allein und geht schweigend auf und ab.)

Egmont (tritt auf).[1]

Egmont. Ich komme, die Befehle des Königs zu vernehmen, zu hören, welchen Dienst er von unserer Treue verlangt, die ihm ewig ergeben bleibt.

Alba. Er wünscht vor allen Dingen Euern Rat zu hören.

Egmont. Über welchen Gegenstand? Kommt Oranien auch? Ich vermutete ihn hier.

Alba. Mir tut es leid, daß er uns eben in dieser wichtigen Stunde fehlt. Euern Rat, Eure Meinung wünscht der König, wie diese Staaten wieder zu befriedigen. Ja, er hofft, Ihr werdet kräftig mitwirken, diese Unruhen zu stillen und die Ordnung der Provinzen völlig und dauerhaft zu gründen.

Egmont. Ihr könnt besser wissen als ich, daß schon alles genug beruhigt ist, ja, noch mehr beruhigt war, eh die Erscheinung der neuen Soldaten wieder mit Furcht und Sorge die Gemüter bewegte.

Alba. Ihr scheint andeuten zu wollen, das Rätlichste sei gewesen, wenn der König mich gar nicht in den Fall gesetzt hätte, Euch zu fragen.

Egmont. Verzeiht! Ob der König das Heer hätte schicken

sollen, ob nicht vielmehr die Macht seiner majestätischen Gegenwart allein stärker gewirkt hätte, ist meine Sache nicht zu beurteilen. Das Heer ist da, er nicht. Wir aber müßten sehr undankbar, sehr vergessen sein, wenn wir uns nicht erinnerten, was wir der Regentin schuldig sind. Bekennen wir! Sie brachte durch ihr so kluges als tapferes Betragen die Aufrührer mit Gewalt und Ansehn, mit Überredung und List zur Ruhe und führte zum Erstaunen der Welt ein rebellisches Volk in wenigen Monaten zu seiner Pflicht zurück.

Alba. Ich leugne es nicht. Der Tumult ist gestillt, und jeder scheint in die Grenzen des Gehorsams zurückgebannt. Aber hängt es nicht von eines jeden Willkür ab, sie zu verlassen? Wer will das Volk hindern, loszubrechen? Wo ist die Macht, sie abzuhalten? Wer bürgt uns, daß sie sich ferner treu und untertänig zeigen werden? Ihr guter Wille ist alles Pfand, das wir haben.

Egmont. Und ist der gute Wille eines Volks nicht das sicherste, das edelste Pfand? Bei Gott! Wann darf sich ein König sicherer halten, als wenn sie alle für einen, einer für alle stehn? Sicherer gegen innere und äußere Feinde?

Alba. Wir werden uns doch nicht überreden sollen, daß es jetzt hier so steht?

Egmont. Der König schreibe einen Generalpardon aus, er beruhige die Gemüter; und bald wird man sehen, wie Treue und Liebe mit dem Zutrauen wieder zurückkehrt.

Alba. Und jeder, der die Majestät des Königs, der das Heiligtum der Religion geschändet, ginge frei und ledig hin und wieder! Lebte den andern zum bereiten Beispiel, daß ungeheure Verbrechen straflos sind!

Egmont. Und ist ein Verbrechen des Unsinns, der Trunkenheit nicht eher zu entschuldigen, als grausam zu bestrafen?

Besonders wo so sichre Hoffnung, wo Gewißheit ist, daß die Übel nicht wiederkehren werden? Waren Könige darum nicht sicherer? Werden sie nicht von Welt und Nachwelt gepriesen, die eine Beleidigung ihrer Würde vergeben, bedauern, verachten konnten? Werden sie nicht eben deswegen Gott gleich gehalten, der viel zu groß ist, als daß an ihn jede Lästerung reichen sollte?

Alba. Und eben darum soll der König für die Würde Gottes und der Religion, wir sollen für das Ansehn des Königs streiten. Was der Obere abzulehnen[1] verschmäht, ist unsere Pflicht zu rächen. Ungestraft soll, wenn ich rate, kein Schuldiger sich freuen.

Egmont. Glaubst du, daß du sie alle erreichen wirst? Hört man nicht täglich, daß die Furcht sie hie und dahin, sie aus dem Lande treibt? Die Reichsten werden ihre Güter, sich, ihre Kinder und Freunde flüchten; der Arme wird seine nützlichen Hände dem Nachbar zubringen.

Alba. Sie werden, wenn man sie nicht verhindern kann. Darum verlangt der König Rat und Tat von jedem Fürsten, Ernst von jedem Statthalter; nicht nur Erzählung, wie es ist, was werden könnte, wenn man alles gehen ließe, wie's geht. Einem großen Übel zusehen, sich mit Hoffnung schmeicheln, der Zeit vertrauen, etwa einmal drein schlagen, wie im Fastnachtsspiel, daß es klatscht und man doch etwas zu tun scheint, wenn man nichts tun möchte: heißt das nicht, sich verdächtig machen, als sehe man dem Aufruhr mit Vergnügen zu, den man nicht erregen, wohl aber hegen möchte?

Egmont (im Begriff aufzufahren, nimmt sich zusammen und spricht nach einer kleinen Pause gesetzt). Nicht jede Absicht ist offenbar, und manches Mannes Absicht ist zu mißdeuten. Muß man doch auch von allen Seiten hören: es sei des Königs Absicht weniger, die Provinzen nach einförmigen und klaren Gesetzen zu regieren, die Majestät der Religion zu sichern und einen allgemeinen Frieden seinem Volke zu geben, als vielmehr sie unbedingt zu unterjochen, sie ihrer alten Rechte zu berauben, sich Meister von ihren Besitztümern zu machen, die schönen Rechte des Adels einzuschränken, um derentwillen der Edle allein ihm dienen, ihm Leib und Leben widmen mag. Die Religion, sagt man, sei nur ein prächtiger Teppich, hinter dem man jeden gefährlichen Anschlag nur desto leichter ausdenkt. Das Volk liegt auf den Knieen, betet die heiligen gewirkten Zeichen an, und hinten lauscht der Vogelsteller, der sie berücken will.

Alba. Das muß ich von d i r hören?

Egmont. Nicht meine Gesinnungen! Nur, was bald hier, bald da, von Großen und von Kleinen, Klugen und Toren gesprochen, laut verbreitet wird. Die Niederländer fürchten ein doppeltes Joch, und wer bürgt ihnen für ihre Freiheit?

Alba. Freiheit! Ein schönes Wort, wer's recht verstände. Was wollen sie für Freiheit? Was ist des Freiesten Freiheit? — Recht zu tun! — Und daran wird sie der König nicht hindern. Nein! nein! sie glauben sich nicht frei, wenn sie sich nicht selbst und andern schaden können. Wäre es nicht besser, abzudanken, als ein solches Volk zu regieren? Wenn auswärtige Feinde drängen, an die kein Bürger denkt, der mit dem Nächsten[1] nur beschäftigt ist, und der König verlangt Beistand, dann werden sie uneins unter sich und verschwören sich gleichsam mit ihren Feinden. Weit besser ist's, sie einzuengen, daß man sie wie Kinder halten, wie Kinder zu ihrem Besten leiten kann. Glaube nur, ein Volk wird nicht alt, nicht klug; ein Volk bleibt immer kindisch.

Egmont. Wie selten kommt ein König zu Verstand! Und

sollen sich viele nicht lieber vielen vertrauen als einem? und nicht einmal dem einen, sondern den wenigen des einen, dem Volke, das an den Blicken seines Herrn altert.[1] Das hat wohl allein das Recht, klug zu werden.

Alba. Vielleicht eben darum, weil es sich nicht selbst überlassen ist.

Egmont. Und darum niemand gern sich selbst überlassen möchte. Man tue, was man will; ich habe auf deine Frage geantwortet und wiederhole: es geht nicht! Es kann nicht gehen! Ich kenne meine Landsleute. Es sind Männer, wert, Gottes Boden zu betreten; ein jeder rund für sich,[2] ein kleiner König, fest, rührig, fähig, treu, an alten Sitten hangend. Schwer ist's, ihr Zutraun zu verdienen; leicht, zu erhalten. Starr und fest! Zu drücken sind sie; nicht zu unterdrücken.[3]

Alba (der sich indes einigemal umgesehen hat). Solltest du das alles in des Königs Gegenwart wiederholen?

Egmont. Desto schlimmer, wenn mich seine Gegenwart abschreckte! Desto besser für ihn, für sein Volk, wenn er mir Mut machte, wenn er mir Zutrauen einflößte, noch weit mehr zu sagen.

Alba. Was nützlich ist, kann ich hören, wie er.

Egmont. Ich würde ihm sagen: Leicht kann der Hirt eine ganze Herde Schafe vor sich hintreiben, der Stier zieht seinen Pflug ohne Widerstand; aber dem edeln Pferde, das du reiten willst, mußt du seine Gedanken ablernen, du mußt nichts Unkluges, nichts unklug von ihm verlangen. Darum wünscht der Bürger, seine alte Verfassung zu behalten, von seinen Landsleuten regiert zu sein, weil er weiß, wie er geführt wird, weil er von ihnen Uneigennutz, Teilnehmung an seinem Schicksal hoffen kann.

Alba. Und sollte der Regent nicht Macht haben, dieses

alte Herkommen zu verändern? Und sollte nicht eben dies sein schönstes Vorrecht sein? Was ist bleibend auf dieser Welt? Und sollte eine Staatseinrichtung bleiben können? Muß nicht in einer Zeitfolge jedes Verhältnis sich verändern und eben darum eine alte Verfassung die Ursache von tausend Übeln werden, weil sie den gegenwärtigen Zustand des Volkes nicht umfaßt? Ich fürchte, diese alten Rechte sind darum so angenehm, weil sie Schlupfwinkel bilden, in welchen der Kluge, der Mächtige, zum Schaden des Volks, zum Schaden des Ganzen, sich verbergen oder durchschleichen kann.[1]

Egmont. Und diese willkürlichen Veränderungen, diese unbeschränkten Eingriffe der höchsten Gewalt, sind sie nicht Vorboten, daß einer tun will, was Tausende nicht tun sollen? Er will sich allein frei machen, um jeden seiner Wünsche befriedigen, jeden seiner Gedanken ausführen zu können. Und wenn wir uns ihm, einem guten, weisen Könige, ganz vertrauten, sagt er uns für seine Nachkommen gut? daß keiner ohne Rücksicht, ohne Schonung regieren werde? Wer rettet uns alsdann von völliger Willkür, wenn er uns seine Diener, seine Nächsten sendet, die ohne Kenntnis des Landes und seiner Bedürfnisse nach Belieben schalten und walten, keinen Widerstand finden und sich von jeder Verantwortung frei wissen?

Alba (der sich indes wieder umgesehen hat). Es ist nichts natürlicher, als daß ein König durch sich zu herrschen gedenkt und denen seine Befehle am liebsten aufträgt, die ihn am besten verstehen, verstehen wollen, die seinen Willen unbedingt ausrichten.

Egmont. Und eben so natürlich ist's, daß der Bürger von dem regiert sein will, der mit ihm geboren und erzogen ist, der gleichen Begriff mit ihm von Recht und Unrecht gefaßt hat, den er als seinen Bruder ansehen kann.

Alba. Und doch hat der Adel mit diesen seinen Brüdern sehr ungleich geteilt.

Egmont. Das ist vor Jahrhunderten geschehen und wird jetzt ohne Neid geduldet. Würden aber neue Menschen ohne Not gesendet, die sich zum zweitenmale auf Unkosten der Nation bereichern wollten, sähe man sich einer strengen, kühnen, unbedingten Habsucht ausgesetzt, das würde eine Gärung machen, die sich nicht leicht in sich selbst auflöste.

Alba. Du sagst mir, was ich nicht hören sollte; auch ich bin fremd.

Egmont. Daß ich dir's sage, zeigt dir, daß ich dich nicht meine.

Alba. Und auch so wünscht' ich es nicht von dir zu hören. Der König sandte mich mit Hoffnung, daß ich hier den Beistand des Adels finden würde. Der König will seinen Willen. Der König hat nach tiefer Überlegung gesehen, was dem Volke frommt; es kann nicht bleiben und gehen wie bisher. Des Königs Absicht ist, sie[1] selbst zu ihrem eignen Besten einzuschränken, ihr eigenes Heil, wenn's sein muß, ihnen aufzudringen, die schädlichen Bürger aufzuopfern, damit die übrigen Ruhe finden, des Glücks einer weisen Regierung genießen können. Dies ist sein Entschluß; diesen dem Adel kund zu machen, habe ich Befehl; und Rat verlang' ich in seinem Namen, wie es zu tun sei, nicht was; denn das hat er beschlossen.

Egmont. Leider rechtfertigen deine Worte die Furcht des Volks, die allgemeine Furcht! So hat er denn beschlossen, was kein Fürst beschließen sollte. Die Kraft seines Volks, ihr Gemüt, den Begriff, den sie von sich selbst haben, will er schwächen, niederdrücken, zerstören, um sie bequem regieren zu können. Er will den innern Kern ihrer Eigenheit verderben; gewiß in der Absicht, sie glücklicher zu machen. Er will sie vernichten, damit sie etwas werden, ein ander Etwas. O, wenn seine Absicht gut ist, so wird sie mißgeleitet! Nicht dem Könige widersetzt man sich; man stellt sich nur dem Könige entgegen, der, einen falschen Weg zu wandeln, die ersten unglücklichen Schritte macht.

Alba. Wie du gesinnt bist, scheint es ein vergeblicher Versuch, uns vereinigen zu wollen. Du denkst gering vom Könige und verächtlich von seinen Räten, wenn du zweifelst, das alles sei nicht schon gedacht, geprüft, gewogen worden. Ich habe keinen Auftrag, jedes Für und Wider noch einmal durchzugehen. Gehorsam fordre ich von dem Volke — und von euch, ihr Ersten, Edelsten, Rat und Tat, als Bürgen dieser unbedingten Pflicht.

Egmont. Fordre unsre Häupter, so ist es auf einmal getan. Ob sich der Nacken diesem Joche biegen, ob er sich vor dem Beile ducken soll, kann einer edeln Seele gleich sein. Umsonst hab' ich so viel gesprochen; die Luft hab' ich erschüttert, weiter nichts gewonnen.

Ferdinand (kommt).

Ferdinand. Verzeiht, daß ich euer Gespräch unterbreche! Hier ist ein Brief, dessen Überbringer die Antwort dringend macht.

Alba. Erlaubt mir, daß ich sehe, was er enthält.

(Tritt an die Seite.)

Ferdinand (zu Egmont). Es ist ein schönes Pferd, das Eure Leute gebracht haben, Euch abzuholen.

Egmont. Es ist nicht das schlimmste. Ich hab' es schon eine Weile; ich denk' es wegzugeben.[1] Wenn es Euch gefällt, so werden wir vielleicht des Handels einig.

Ferdinand. Gut, wir wollen sehn.

Alba (winkt seinem Sohne, der sich in den Grund zurückzieht).

Egmont. Lebt wohl! entlaßt mich; denn ich wüßte, bei Gott! nicht mehr zu sagen.

Alba. Glücklich hat dich der Zufall verhindert, deinen Sinn noch weiter zu verraten. Unvorsichtig entwickelst du die Falten deines Herzens und klagst dich selbst weit strenger an, als ein Widersacher gehässig tun könnte.

Egmont. Dieser Vorwurf rührt mich nicht; ich kenne mich selbst genug und weiß, wie ich dem König angehöre: weit mehr als viele, die in seinem Dienst sich selber dienen. Ungern scheid' ich aus diesem Streite, ohne ihn beigelegt zu sehen, und wünsche nur, daß uns der Dienst des Herrn, das Wohl des Landes bald vereinigen möge. Es wirkt vielleicht ein wiederholtes Gespräch, die Gegenwart der übrigen Fürsten, die heute fehlen, in einem glücklichern Augenblick, was heut unmöglich scheint. Mit dieser Hoffnung entfern' ich mich.

Alba (der zugleich seinem Sohn Ferdinand ein Zeichen gibt). Halt, Egmont! — Deinen Degen! — (Die Mitteltür öffnet sich: man sieht die Galerie mit Wache besetzt, die unbeweglich bleibt).

Egmont (der staunend eine Weile geschwiegen). Dies war die Absicht? Dazu hast du mich berufen? (Nach dem Degen greifend, als wenn er sich verteidigen wollte.) Bin ich denn wehrlos?

Alba. Der König befiehlt's, du bist mein Gefangener.

(Zugleich treten von beiden Seiten Gewaffnete herein.)

Egmont (nach einer Stille). Der König? — Oranien! Oranien! (Nach einer Pause, seinen Degen hingebend.) So nimm ihn! Er hat weit öfter des Königs Sache verteidigt, als diese Brust beschützt. (Er geht durch die Mitteltür ab; die Gewaffneten, die im Zimmer sind, folgen ihm; ingleichen Albas Sohn. Alba bleibt stehen. Der Vorhang fällt.)

Fünfter Aufzug.

Straße. Dämmerung.

Klärchen. Brackenburg. Bürger.

Brackenburg. Liebchen, um Gottes willen, was nimmst du vor?

Klärchen. Komm mit, Brackenburg! Du mußt die Menschen nicht kennen; wir befreien ihn gewiß. Denn was gleicht ihrer Liebe zu ihm? Jeder fühlt, ich schwör' es, in sich die brennende Begier, ihn zu retten, die Gefahr von einem kostbaren Leben abzuwenden und dem Freiesten die Freiheit wiederzugeben. Komm! Es fehlt nur an der Stimme, die sie zusammenruft. In ihrer Seele lebt noch ganz frisch, was sie ihm schuldig sind; und daß sein mächtiger Arm allein von ihnen das Verderben abhält, wissen sie. Um seinet- und ihretwillen müssen sie alles wagen. Und was wagen wir? Zum höchsten unser Leben, das zu erhalten nicht der Mühe wert ist, wenn er umkommt.

Brackenburg. Unglückliche! du siehst nicht die Gewalt, die uns mit ehernen Banden gefesselt hat.

Klärchen. Sie scheint mir nicht unüberwindlich. Laß uns nicht lang vergebliche Worte wechseln. Hier kommen von den alten, redlichen, wackern Männern! Hört, Freunde! Nachbarn, hört! — Sagt, wie ist es mit Egmont?

Zimmermeister. Was will das Kind? Laß sie schweigen!

Klärchen. Tretet näher, daß wir sachte reden, bis wir einig sind und stärker. Wir dürfen nicht einen Augenblick versäumen! Die freche Tyrannei, die es wagt, ihn zu fesseln, zuckt schon den Dolch, ihn zu ermorden. O Freunde! mit jedem Schritt der Dämmerung werd' ich ängstlicher. Ich fürchte diese Nacht. Kommt! wir wollen uns teilen; mit schnellem Lauf von Quartier[1] zu Quartier rufen wir die Bürger heraus. Ein jeder greife zu seinen alten Waffen. Auf dem Markte treffen wir uns wieder, und unser Strom reißt einen jeden mit sich fort. Die Feinde sehen sich umringt und überschwemmt und sind erdrückt. Was kann uns eine Handvoll[2] Knechte widerstehen? Und er in unsrer Mitte kehrt zurück, sieht sich befreit und kann uns einmal danken, uns, die wir ihm so tief verschuldet worden. Er sieht vielleicht — gewiß, er sieht das Morgenrot am freien Himmel wieder.

Zimmermeister. Wie ist dir, Mädchen?

Klärchen. Könnt ihr mich mißverstehn? Vom Grafen sprech' ich! Ich spreche von Egmont.

Jetter. Nennt den Namen nicht! Er ist tödlich.

Klärchen. Den Namen nicht! Wie? Nicht diesen Namen? Wer nennt ihn nicht bei jeder Gelegenheit? Wo steht er nicht geschrieben? In diesen Sternen hab' ich oft mit allen seinen Lettern ihn gelesen.[3] Nicht nennen? Was soll das? Freunde! Gute, teure Nachbarn, ihr träumt; besinnt euch. Seht mich nicht so starr und ängstlich an! Blickt nicht schüchtern hie und da beiseite. Ich ruf' euch ja nur zu, was jeder wünscht. Ist meine Stimme nicht eures Herzens eigene Stimme? Wer würfe sich in dieser bangen Nacht, eh er sein unruhvolles Bette besteigt, nicht auf die Kniee, ihn mit ernstlichem Gebet vom Himmel zu erringen? Fragt euch einander! frage jeder sich selbst! und wer spricht mir nicht nach: „Egmonts Freiheit oder den Tod!“

Jetter. Gott bewahr' uns! Da gibt's ein Unglück.

Klärchen. Bleibt! Bleibt und drückt euch nicht vor seinem Namen weg, dem ihr euch sonst so froh entgegen drängtet! — Wenn der Ruf ihn ankündigte, wenn es hieß: „Egmont kommt! Er kommt von Gent!“ da hielten die Bewohner der Straßen sich glücklich, durch die er reiten mußte.[1] Und wenn ihr seine Pferde schallen hörtet, warf jeder seine Arbeit hin, und über die bekümmerten Gesichter, die ihr durchs Fenster stecktet, fuhr wie ein Sonnenstrahl von seinem Angesichte ein Blick der Freude und Hoffnung. Da hobt ihr eure Kinder auf der Türschwelle in die Höhe und deutetet ihnen: „Sieh, das ist Egmont, der Größte da! Er ist's! Er ist's, von dem ihr bessere Zeiten, als eure armen Väter lebten,[2] einst zu erwarten habt.“ Laßt eure Kinder nicht dereinst euch fragen: „Wo ist er hin? Wo sind die Zeiten hin, die ihr verspracht?“ — Und so wechseln wir Worte! sind müßig, verraten ihn.

Soest. Schämt Euch, Brackenburg! Laßt sie nicht gewähren. Steuert dem Unheil!

Brackenburg. Liebes Klärchen! wir wollen gehen! Was wird die Mutter sagen? Vielleicht —

Klärchen. Meinst du, ich sei ein Kind, oder wahnsinnig? Was kann vielleicht? — Von dieser schrecklichen Gewißheit bringst du mich mit keiner Hoffnung weg. — Ihr sollt mich hören, und ihr werdet; denn ich seh's, ihr seid bestürzt und könnt euch selbst in eurem Busen nicht wiederfinden. Laßt durch die gegenwärtige Gefahr nur *einen* Blick in das Vergangene dringen, das kurz Vergangene. Wendet eure Gedanken nach der Zukunft. Könnt ihr denn leben? werdet ihr, wenn er zu Grunde geht? Mit seinem Atem flieht der letzte Hauch der Freiheit. Was war er euch? Für wen übergab er sich der dringendsten Gefahr? Seine Wunden flossen und heilten nur für euch. Die große Seele, die euch alle trug, beschränkt ein Kerker, und Schauer tückischen Mordes schweben um sie her. Er denkt vielleicht an euch, er hofft auf euch, er, der nur zu geben, nur zu erfüllen gewohnt war.

Zimmermeister. Gevatter,[1] kommt.

Klärchen. Und ich habe nicht Arme, nicht Mark, wie ihr; doch hab' ich, was euch allen eben fehlt, Mut und Verachtung der Gefahr. Könnt' euch mein Atem doch entzünden! könnt' ich an meinen Busen drückend euch erwärmen und beleben! Kommt! In eurer Mitte will ich gehen! — Wie eine Fahne wehrlos ein edles Heer von Kriegern wehend anführt, so soll mein Geist um eure Häupter flammen und Liebe und Mut das schwankende, zerstreute Volk zu einem fürchterlichen Heer vereinigen.

Jetter. Schaff' sie beiseite, sie dauert mich. (Bürger ab.)

Brackenburg. Klärchen! siehst du nicht, wo wir sind?

Klärchen. Wo? Unter dem Himmel, der so oft sich herrlicher zu wölben schien, wenn der Edle unter ihm herging. Aus diesen Fenstern haben sie herausgesehn, vier, fünf Köpfe über einander; an diesen Türen haben sie gescharrt und genickt, wenn er auf die Memmen herabsah. O, ich hatte sie so lieb, wie sie ihn ehrten! Wäre er Tyrann gewesen, möchten sie immer vor seinem Falle seitwärts gehn. Aber sie liebten ihn! — O ihr Hände, die ihr an die Mützen grifft, zum Schwert könnt ihr nicht greifen — Brackenburg, und wir? — Schelten wir sie? — Diese Arme, die ihn so oft fest hielten, was tun sie für ihn? — List hat in der Welt so viel erreicht — Du kennst Wege und Stege, kennst das alte Schloß. Es ist nichts unmöglich, gib mir einen Anschlag.

Brackenburg. Wenn wir nach Hause gingen!

Klärchen. Gut.

Brackenburg. Dort an der Ecke seh' ich Albas Wache; laß doch die Stimme der Vernunft dir zu Herzen dringen. Hältst du mich für feig? Glaubst du nicht, daß ich um deinetwillen sterben könnte? Hier sind wir beide toll, ich so gut wie du. Siehst du nicht das Unmögliche? Wenn du dich faßtest! Du bist außer dir.

Klärchen. Außer mir! Abscheulich! Brackenburg, Ihr seid außer Euch. Da ihr laut den Helden verehrtet, ihn Freund und Schutz und Hoffnung nanntet, ihm Vivat rieft, wenn er kam: da stand ich in meinem Winkel, schob das Fenster halb auf, verbarg mich lauschend, und das Herz schlug mir höher als euch allen. Jetzt schlägt mir's wieder höher als euch allen! Ihr verbergt euch, da es not ist, verleugnet ihn und fühlt nicht, daß ihr untergeht, wenn er verdirbt.

Brackenburg. Komm nach Hause.

Klärchen. Nach Hause?

Brackenburg. Besinne dich nur! Sieh dich um! Dies sind die Straßen, die du nur sonntäglich betratst, durch die du sittsam nach der Kirche gingst, wo du übertrieben ehrbar zürntest, wenn ich mit einem freundlichen grüßenden Wort mich zu dir gesellte. Du stehst und redest, handelst vor den Augen der offnen Welt; besinne dich, Liebe! Wozu hilft es uns?

Klärchen. Nach Hause! Ja, ich besinne mich. Komm, Brackenburg, nach Hause! Weißt du, wo meine Heimat ist? (Ab.)

Gefängnis

durch eine Lampe erhellt, ein Ruhebett im Grunde.

Egmont allein.[1]

Alter Freund! immer getreuer Schlaf, fliehst du mich auch, wie die übrigen Freunde? Wie willig senktest du dich auf mein freies Haupt herunter und kühltest, wie ein schöner Myrtenkranz der Liebe, meine Schläfe! Mitten unter Waffen, auf der Woge des Lebens, ruht' ich leicht atmend, wie ein aufquellender Knabe, in deinen Armen. Wenn Stürme durch Zweige und Blätter sausten, Ast und Wipfel sich knirrend bewegten, blieb innerst doch der Kern des Herzens ungeregt. Was schüttelt dich nun? Was erschüttert den festen treuen Sinn? Ich fühl's, es ist der Klang der Mordaxt, die an meiner Wurzel nascht. Noch steh' ich aufrecht, und ein innrer Schauer durchfährt mich. Ja, sie überwindet, die verräterische Gewalt; sie untergräbt den festen hohen Stamm, und eh die Rinde dorrt, stürzt krachend und zerschmetternd deine Krone.

Warum denn jetzt, der du so oft gewalt'ge Sorgen gleich Seifenblasen dir vom Haupte weggewiesen, warum vermagst du nicht die Ahnung zu verscheuchen, die tausendfach in dir sich auf und nieder treibt? Seit wann begegnet der Tod dir fürchterlich? mit dessen wechselnden Bildern, wie mit den übrigen Gestalten der gewohnten Erde, du gelassen lebtest. — Auch ist er's nicht, der rasche Feind, dem die gesunde Brust wetteifernd sich entgegensehnt; der Kerker ist's, des Grabes Vorbild, dem Helden wie dem Feigen widerlich. Unleidlich ward mir's schon auf meinem gepolsterten Stuhle, wenn in stattlicher Versammlung die Fürsten, was leicht zu entscheiden war, mit wiederkehrenden Gesprächen überlegten und zwischen düstern Wänden eines Saals die Balken der Decke mich erdrückten. Da eilt' ich fort, sobald es möglich war, und rasch aufs Pferd mit tiefem Atemzuge. Und frisch hinaus, da wo wir hingehören! ins Feld, wo aus der Erde dampfend jede nächste Wohltat der Natur, und durch die Himmel wehend alle Segen der Gestirne[1] uns umwittern; wo wir, dem erdgebornen Riesen[2] gleich, von der Berührung unsrer Mutter kräftiger uns in die Höhe reißen; wo wir die Menschheit ganz und menschliche Begier in allen Adern fühlen; wo das Verlangen, vorzudringen, zu besiegen, zu erhaschen, seine Faust zu brauchen, zu besitzen, zu erobern, durch die Seele des jungen Jägers glüht; wo der Soldat sein angebornes Recht auf alle Welt mit raschem Schritt sich anmaßt und in fürchterlicher Freiheit wie ein Hagelwetter durch Wiese, Feld und Wald verderbend streicht und keine Grenzen kennt, die Menschenhand gezogen.

Du bist nur Bild, Erinnerungstraum des Glücks, das ich so lang besessen; wo hat dich das Geschick verräterisch hingeführt? Versagt es dir, den nie gescheuten Tod im Angesicht der Sonne rasch zu gönnen, um dir des Grabes Vorgeschmack im ekeln Moder zu bereiten? Wie haucht er mich aus diesen Steinen widrig an! Schon starrt das Leben, vor dem Ruhebette wie vor dem Grabe scheut der Fuß. —

O Sorge! Sorge! die du vor der Zeit den Mord beginnst, laß ab! — Seit wann ist Egmont denn allein, so ganz allein in dieser Welt? Dich macht der Zweifel hilflos,[3] nicht das Glück. Ist die Gerechtigkeit des Königs, der du lebenslang vertrautest, ist der Regentin Freundschaft, die fast (du darfst es dir gestehn), fast Liebe war, sind sie auf einmal wie ein glänzend Feuerbild der Nacht verschwunden und lassen dich allein auf dunkelm Pfad zurück? Wird an der Spitze deiner Freunde Oranien nicht wagend sinnen? Wird nicht ein Volk sich sammeln und mit anschwellender Gewalt den alten Freund erretten?

O haltet, Mauern, die ihr mich einschließt, so vieler Geister wohlgemeintes Drängen nicht von mir ab; und welcher Mut aus meinen Augen sonst sich über sie ergoß, der kehre nun aus ihren Herzen in meines wieder. O ja, sie rühren sich zu Tausenden! sie kommen! stehen mir zur Seite! Ihr frommer Wunsch eilt dringend zu dem Himmel, er bittet um ein Wunder. Und steigt zu meiner Rettung nicht ein Engel nieder, so seh' ich sie nach Lanz' und Schwertern greifen. Die Tore spalten sich, die Gitter springen, die Mauer stürzt vor ihren Händen ein, und der Freiheit des einbrechenden Tages steigt Egmont fröhlich entgegen. Wie manch bekannt Gesicht empfängt mich jauchzend! Ach, Klärchen, wärst du Mann, so säh' ich dich gewiß auch hier zuerst und dankte dir, was einem Könige zu danken hart ist, Freiheit.

Klärchens Haus.[1]

Klärchen (kommt mit einer Lampe und einem Glas Wasser aus der Kammer; sie setzt das Glas auf den Tisch und tritt ans Fenster).

Brackenburg? Seid Ihr's? Was hört' ich denn? Noch niemand? Es war niemand! Ich will die Lampe ins Fenster setzen, daß er sieht, ich wache noch, ich warte noch auf ihn. Er hat mir Nachricht versprochen. Nachricht? Entsetzliche Gewißheit! — Egmont verurteilt! — Welch Gericht darf ihn fordern? Und sie verdammen ihn! Der König verdammt ihn? oder der Herzog? Und die Regentin entzieht sich! Oranien zaudert und alle seine Freunde! — — Ist dies die Welt, von deren Wankelmut, Unzuverlässigkeit ich viel gehört und nichts empfunden habe? Ist dies die Welt? — Wer wäre bös genug, den Teuern anzufeinden? Wäre Bosheit mächtig genug, den allgemein Erkannten schnell zu stürzen? Doch ist es so — es ist! — O Egmont, sicher hielt ich dich vor Gott und Menschen, wie in meinen Armen! Was war ich dir? Du hast mich dein genannt, mein ganzes Leben widmete ich deinem Leben. — Was bin ich nun? Vergebens streck' ich nach der Schlinge, die dich faßt, die Hand aus. Du hilflos, und ich frei! — Hier ist der Schlüssel zu meiner Türe. An meiner Willkür hängt mein Gehen und mein Kommen, und dir bin ich zu nichts! — — O, bindet mich, damit ich nicht verzweifle; und werft mich in den tiefsten Kerker, daß ich das Haupt an feuchte Mauern schlage, nach Freiheit winsle, träume, wie ich ihm helfen wollte, wenn Fesseln mich nicht lähmten, wie ich ihm helfen würde. — Nun bin ich frei! Und in der Freiheit liegt die Angst der Ohnmacht. — Mir selbst bewußt, nicht fähig, ein Glied nach seiner Hilfe zu rühren. Ach leider, auch der kleine Teil von deinem Wesen, dein Klärchen, ist wie du gefangen und regt getrennt im Todeskrampfe nur die letzten Kräfte. — Ich höre schleichen, husten — Brackenburg — er ist's! — Elender guter Mann, dein Schicksal bleibt sich immer gleich; dein Liebchen öffnet dir die nächtliche Tür, und ach! zu welch unseliger Zusammenkunft!

Brackenburg tritt auf.

Klärchen. Du kommst so bleich und schüchtern, Brackenburg! was ist's?

Brackenburg. Durch Umwege und Gefahren such' ich dich auf. Die großen Straßen sind besetzt; durch Gäßchen und durch Winkel hab' ich mich zu dir gestohlen.

Klärchen. Erzähl', wie ist's?

Brackenburg (indem er sich setzt). Ach, Kläre, laß mich weinen. Ich liebt' ihn nicht. Er war der reiche Mann[1] und lockte des

Armen einziges Schaf zur bessern Weide herüber. Ich hab' ihn nie verflucht; Gott hat mich treu geschaffen und weich. In Schmerzen floß mein Leben von mir nieder, und zu verschmachten hofft' ich jeden Tag.

Klärchen. Vergiß das, Brackenburg! Vergiß dich selbst. Sprich mir von ihm! Ist's wahr! Ist er verurteilt?

Brackenburg. Er ist's! ich weiß es ganz genau.

Klärchen. Und lebt noch?

Brackenburg. Ja, er lebt noch.

Klärchen. Wie willst du das versichern? — Die Tyrannei ermordet in der Nacht den Herrlichen! Vor allen Augen verborgen fließt sein Blut. Ängstlich im Schlafe liegt das betäubte Volk und träumt von Rettung, träumt ihres[1] ohnmächtigen Wunsches Erfüllung, indes, unwillig über uns, sein Geist die Welt verläßt. Er ist dahin! — Täusche mich nicht! dich nicht!

Brackenburg. Nein, gewiß, er lebt! — Und leider! es bereitet der Spanier dem Volke, das er zertreten will, ein fürchterliches Schauspiel, gewaltsam jedes Herz, das nach Freiheit sich regt, auf ewig zu zerknirschen.

Klärchen. Fahre fort und sprich gelassen auch mein Todesurteil aus! Ich wandle den seligen Gefilden schon näher und näher, mir weht der Trost aus jenen Gegenden des Friedens schon herüber. Sag' an.

Brackenburg. Ich konnt' es an den Wachen merken, aus Reden, die bald da, bald dort fielen, daß auf dem Markte geheimnisvoll ein Schrecknis zubereitet werde. Ich schlich durch Seitenwege, durch bekannte Gänge nach meines Vettern Hause und sah aus einem Hinterfenster nach dem Markte. — Es wehten Fackeln in einem weiten Kreise spanischer Soldaten hin und wieder. Ich schärfte mein ungewohntes Auge, und aus der Nacht stieg mir ein schwarzes Gerüst entgegen, geräumig, hoch; mir grauste vor dem Anblick. Geschäftig waren viele ringsumher bemüht, was noch von Holzwerk weiß und sichtbar war, mit schwarzem Tuch einhüllend zu verkleiden. Die Treppen deckten sie zuletzt auch schwarz, ich sah es wohl. Sie schienen die Weihe eines gräßlichen Opfers vorbereitend zu begehn. Ein weißes Kruzifix, das durch die Nacht wie Silber blinkte, ward an der einen Seite hoch aufgesteckt. Ich sah, und sah die schreckliche Gewißheit immer gewisser. Noch wankten Fackeln hie und da herum; allmählich wichen sie und erloschen. Auf einmal war die scheußliche Geburt der Nacht in ihrer Mutter Schoß zurückgekehrt.

Klärchen. Still, Brackenburg! Nun still! Laß diese Hülle auf meiner Seele ruhn. Verschwunden sind die Gespenster, und du, holde Nacht, leih deinen Mantel der Erde, die in sich gärt; sie trägt nicht länger die abscheuliche Last, reißt ihre tiefen Spalten grausend auf und knirscht das Mordgerüst hinunter. Und irgend einen Engel sendet der Gott, den sie zum Zeugen ihrer Wut geschändet; vor des Boten heiliger Berührung lösen sich Riegel und Bande, und er umgießt den Freund mit mildem Schimmer; er führt ihn durch die Nacht zur Freiheit sanft und still.[1] Und auch mein Weg geht heimlich in dieser Dunkelheit, ihm zu begegnen.

Brackenburg (sie aufhaltend). Mein Kind, wohin? was wagst du?

Klärchen. Leise, Lieber, daß niemand erwache! daß wir uns selbst nicht wecken! Kennst du dies Fläschchen, Brackenburg? Ich nahm dir's scherzend, als du mit übereiltem Tod oft ungeduldig drohtest. — Und nun, mein Freund —

Brackenburg. In aller Heiligen Namen! —

Klärchen. Du hinderst nichts. Tod ist mein Teil! und gönne mir den sanften schnellen Tod, den du dir selbst bereitetest. Gib mir deine Hand! — Im Augenblick, da ich die dunkle Pforte eröffne, aus der kein Rückweg ist,[1] könnt' ich mit diesem Händedruck dir sagen: wie sehr ich dich geliebt, wie sehr ich dich bejammert. Mein Bruder starb mir jung; dich wählt' ich, seine Stelle zu ersetzen. Es widersprach dein Herz[2] und quälte sich und mich, du verlangtest[3] heiß und immer heißer, was dir nicht beschieden war. Vergib mir und leb' wohl! Laß mich dich Bruder nennen! Es ist ein Name, der viel Namen in sich faßt. Nimm die letzte schöne Blume der Scheidenden mit treuem Herzen ab — nimm diesen Kuß — Der Tod vereinigt alles, Brackenburg, uns denn auch.

Brackenburg. So laß mich mit dir sterben! Teile! Teile! Es ist genug, zwei Leben auszulöschen.

Klärchen. Bleib! du sollst leben, du kannst leben. — Steh meiner Mutter bei, die ohne dich in Armut sich verzehren würde. Sei ihr, was ich ihr nicht mehr sein kann; lebt zusammen und beweint mich. Beweint das Vaterland und den, der es allein erhalten konnte. Das heutige Geschlecht wird diesen Jammer nicht los; die Wut der Rache selbst vermag ihn nicht zu tilgen. Lebt, ihr Armen, die Zeit noch hin, die keine Zeit mehr ist. Heut steht die Welt auf einmal still; es stockt ihr Kreislauf, und mein Puls schlägt kaum noch wenige Minuten. Leb' wohl!

Brackenburg. O, lebe du mit uns, wie wir für dich allein! Du tötest uns in dir, o leb' und leide. Wir wollen unzertrennlich dir zu beiden Seiten stehn, und immer achtsam soll die Liebe den schönsten Trost in ihren lebendigen Armen dir bereiten. Sei unser! Unser! Ich darf nicht sagen, mein.

Klärchen. Leise, Brackenburg! Du fühlst nicht, was du rührst. Wo Hoffnung dir erscheint, ist mir Verzweiflung.

Brackenburg. Teile mit den Lebendigen die Hoffnung!

Verweil' am Rande des Abgrunds, schau' hinab und sieh auf uns zurück.

Klärchen. Ich hab' überwunden, ruf mich nicht wieder zum Streit.

Brackenburg. Du bist betäubt; gehüllt in Nacht, suchst du die Tiefe. Noch ist nicht jedes Licht erloschen, noch mancher Tag! —

Klärchen. Weh! über dich Weh! Weh! Grausam zerreißest du den Vorhang vor meinem Auge. Ja, er wird grauen, der Tag! vergebens alle Nebel um sich ziehn und wider Willen grauen! Furchtsam schaut der Bürger aus seinem Fenster, die Nacht läßt einen schwarzen Flecken zurück; er schaut, und fürchterlich wächst im Lichte das Mordgerüst. Neu leidend wendet das entweihte Gottesbild sein flehend Auge zum Vater auf. Die Sonne wagt sich nicht hervor; sie will die Stunde nicht bezeichnen, in der er sterben soll. Träge gehn die Zeiger[1] ihren Weg, und eine Stunde nach der andern schlägt. Halt! Halt! nun ist es Zeit! mich scheucht des Morgens Ahnung in das Grab. (Sie tritt ans Fenster, als sähe sie sich um, und trinkt heimlich.)

Brackenburg. Kläre! Kläre!

Klärchen (geht nach dem Tisch und trinkt das Wasser). Hier ist der Rest! Ich locke dich nicht nach. Tu, was du darfst, leb' wohl. Lösche diese Lampe still und ohne Zaudern, ich geh' zur Ruhe. Schleiche dich sachte weg, ziehe die Tür nach dir zu. Still! Wecke meine Mutter nicht! Geh, rette dich! Rette dich, wenn du nicht mein Mörder scheinen willst. (Ab.)

Brackenburg. Sie läßt mich zum letztenmale, wie immer. O, könnte eine Menschenseele fühlen, wie sie ein liebend Herz zerreißen kann. Sie läßt mich stehn, mir selber überlassen; und Tod und Leben ist mir gleich verhaßt. — Allein zu sterben! — Weint, ihr Liebenden! Kein härter Schicksal ist als meins! Sie teilt mit mir den Todestropfen und schickt mich weg! von ihrer Seite weg! Sie zieht mich nach, und stößt ins Leben mich zurück. O Egmont, welch preiswürdig Los fällt dir! Sie geht voran; der Kranz des Siegs aus ihrer Hand ist dein, sie bringt den ganzen Himmel dir entgegen! — Und soll ich folgen? wieder seitwärts stehn? den unauslöschlichen Neid in jene Wohnungen[1] hinübertragen? — Auf Erden ist kein Bleiben mehr für mich, und Höll' und Himmel bieten gleiche Qual. Wie wäre der Vernichtung Schreckenshand dem Unglückseligen willkommen!

Brackenburg geht ab; das Theater bleibt einige Zeit unverändert. Eine Musik, Klärchens Tod bezeichnend, beginnt; die Lampe, welche Brackenburg auszulöschen vergessen, flammt noch einigemal auf, dann erlischt sie. Bald verwandelt sich der Schauplatz in das

Gefängnis.

Egmont liegt schlafend auf dem Ruhebette. Es entsteht ein Gerassel mit Schlüsseln, und die Tür tut sich auf. Diener mit Fackeln treten herein; ihnen folgt Ferdinand, Albas Sohn, und Silva, begleitet von Gewaffneten. Egmont fährt aus dem Schlaf auf.

Egmont. Wer seid ihr, die ihr mir unfreundlich den Schlaf von den Augen schüttelt? Was künden eure trotzigen, unsichern Blicke mir an? Warum diesen fürchterlichen Aufzug? Welchen Schreckenstraum kommt ihr der halberwachten Seele vorzulügen?

Silva. Uns schickt der Herzog, dir dein Urteil anzukündigen.

Egmont. Bringst du den Henker auch mit, es zu vollziehen?

Silva. Vernimm es, so wirst du wissen, was deiner wartet.

Egmont. So ziemt es euch und euerm schändlichen Beginnen! In Nacht gebrütet und in Nacht vollführt. So mag diese freche Tat der Ungerechtigkeit sich verbergen! — Tritt kühn hervor, der du das Schwert verhüllt unter dem Mantel trägst: hier ist mein Haupt, das freieste, das je die Tyrannei vom Rumpf gerissen.

Silva. Du irrst! Was gerechte Richter beschließen, werden sie vorm Angesicht des Tages nicht verbergen.

Egmont. So übersteigt die Frechheit jeden Begriff und Gedanken.

Silva (nimmt einem Dabeistehenden das Urteil ab, entfaltet's und liest). „Im Namen des Königs und kraft besonderer, von Seiner Majestät uns übertragenen Gewalt, alle seine Untertanen, wes Standes sie seien, zugleich die Ritter des goldnen Vlieses zu richten, erkennen wir —“

Egmont. Kann die der König übertragen?

Silva. „Erkennen wir, nach vorgängiger genauer, gesetzlicher Untersuchung, dich Heinrich[1] Grafen Egmont, Prinzen von Gaure, des Hochverrates schuldig und sprechen das Urteil: daß du mit der Frühe des einbrechenden Morgens aus dem Kerker auf den Markt geführt und dort vorm Angesicht des Volks zur Warnung aller Verräter mit dem Schwerte vom Leben zum Tode gebracht werden sollest. Gegeben Brüssel im“ (Datum und Jahrzahl werden undeutlich gelesen, so, daß sie der Zuhörer nicht versteht) „Ferdinand, Herzog von Alba,
Vorsitzer des Gerichts der Zwölfe.“[2]

Du weißt nun dein Schicksal; es bleibt dir wenige Zeit, dich drein zu ergeben, dein Haus zu bestellen[3] und von den Deinigen Abschied zu nehmen.

(Silva mit dem Gefolge geht ab. Es bleibt Ferdinand und zwei Fackeln; das Theater ist mäßig erleuchtet.)

Egmont (hat eine Weile, in sich versenkt, stille gestanden und Silva, ohne sich umzusehen, abgehen lassen. Er glaubt sich allein, und da er die Augen aufhebt, erblickt er Albas Sohn). Du stehst und bleibst? Willst du mein Erstaunen, mein Entsetzen noch durch deine Gegenwart vermehren? Willst du noch etwa die willkommne Botschaft deinem Vater bringen, daß ich unmännlich verzweifle? Geh! Sag' ihm, sag' ihm, daß er weder mich, noch die Welt belügt. Ihm, dem Ruhmsüchtigen, wird man es erst hinter den Schultern leise lispeln, dann laut und lauter sagen, und wenn er einst von diesem Gipfel herabsteigt, werden tausend Stimmen es ihm entgegen rufen: Nicht das Wohl des Staats, nicht die Würde des Königs, nicht die Ruhe der Provinzen haben ihn hierher gebracht. Um sein selbst willen hat er Krieg geraten, daß der Krieger im Kriege gelte. Er hat diese ungeheure Verwirrung erregt, damit man seiner bedürfe. Und ich falle, ein Opfer seines niedrigen Hasses, seines kleinlichen Neides. Ja, ich weiß es, und ich darf es sagen, der Sterbende, der tödlich Verwundete kann es sagen: mich hat der Eingebildete beneidet; mich wegzutilgen, hat er lange gesonnen und gedacht.

Schon damals,[1] als wir noch jünger mit Würfeln spielten und die Haufen Goldes, einer nach dem andern, von seiner Seite zu mir herübereilten, da stand er grimmig, log Gelassenheit, und innerlich verzehrte ihn die Ärgernis,[2] mehr über mein Glück, als über seinen Verlust. Noch erinnere ich mich des funkelnden Blicks, der verräterischen Blässe, als wir an einem öffentlichen Feste vor vielen tausend Menschen um die Wette schossen. Er forderte mich auf, und beide Nationen standen; die Spanier, die Niederländer wetteten und wünschten. Ich überwand ihn; seine Kugel irrte, die meine traf; ein lauter Freudenschrei der Meinigen durchbrach die Luft. Nun trifft mich sein Geschoß. Sag' ihm, daß ich's weiß, daß ich ihn kenne, daß die Welt jede Siegszeichen verachtet, die ein kleiner Geist erschleichend sich aufrichtet. Und du! wenn einem Sohne möglich ist, von der Sitte des Vaters zu weichen, übe beizeiten die Scham, indem du dich für den schämst, den du gerne von ganzem Herzen verehren möchtest.

Ferdinand. Ich höre dich an, ohne dich zu unterbrechen! Deine Vorwürfe lasten wie Keulschläge auf einen Helm; ich fühle die Erschütterung, aber ich bin bewaffnet. Du triffst mich, du verwundest mich nicht; fühlbar ist mir allein der Schmerz, der mir den Busen zerreißt. Wehe mir! Wehe! Zu einem solchen Anblick bin ich aufgewachsen, zu einem solchen Schauspiele bin ich gesendet!

Egmont. Du brichst in Klagen aus? Was rührt, was bekümmert dich? Ist es eine späte Reue, daß du der schändlichen Verschwörung deinen Dienst geliehen? Du bist so jung und hast ein glückliches Ansehn. Du warst so zutraulich, so freundlich gegen mich. So lang ich dich sah, war ich mit deinem Vater versöhnt. Und eben so verstellt, verstellter als er, lockst du mich in das Netz. Du bist der Abscheuliche! Wer *ihm* traut, mag er es auf seine Gefahr tun; aber wer fürchtete Gefahr, dir zu vertrauen? Geh! Geh! Raube mir nicht die wenigen Augenblicke! Geh, daß ich mich sammle, die Welt und dich zuerst vergesse! —

Ferdinand. Was soll ich dir sagen? Ich stehe und sehe dich an, und sehe dich nicht und fühle mich nicht. Soll ich mich entschuldigen? Soll ich dir versichern, daß ich erst spät, erst ganz zuletzt des Vaters Absichten erfuhr, daß ich als ein gezwungenes, ein lebloses Werkzeug seines Willens handelte? Was fruchtet's, welche Meinung du von mir haben magst? Du bist verloren; und ich Unglücklicher stehe nur da, um dir's zu versichern, um dich zu bejammern.

Egmont. Welche sonderbare Stimme, welch ein uner=

warteter Trost begegnet mir auf dem Wege zum Grabe? Du, Sohn meines ersten, meines fast einzigen Feindes, du bedauerst mich, du bist nicht unter meinen Mördern? Sage, rede! Für wen soll ich dich halten?

Ferdinand. Grausamer Vater! Ja, ich erkenne dich in diesem Befehle. Du kanntest mein Herz, meine Gesinnung, die du so oft als Erbteil einer zärtlichen Mutter schaltest. Mich dir gleich zu bilden, sandtest du mich hierher. Diesen Mann am Rande des gähnenden Grabes, in der Gewalt eines willkürlichen Todes zu sehen, zwingst du mich, daß ich den tiefsten Schmerz empfinde, daß ich taub gegen alles Schicksal, daß ich unempfindlich werde, es geschehe mir, was wolle.

Egmont. Ich erstaune! Fasse dich! Stehe, rede wie ein Mann.

Ferdinand. O, daß ich ein Weib wäre! Daß man mir sagen könnte: was rührt dich? was ficht dich an? Sage mir ein größeres, ein ungeheureres Übel, mache mich zum Zeugen einer schrecklichern Tat; ich will dir danken, ich will sagen: es war nichts.

Egmont. Du verlierst dich. Wo bist du?

Ferdinand. Laß diese Leidenschaft rasen, laß mich losgebunden klagen! Ich will nicht standhaft scheinen, wenn alles in mir zusammenbricht. Dich soll ich hier sehn? — Dich? — es ist entsetzlich! Du verstehst mich nicht! Und sollst du mich verstehen? Egmont! Egmont! (Ihm um den Hals fallend.)

Egmont. Löse mir das Geheimnis.

Ferdinand. Kein Geheimnis.

Egmont. Wie bewegt dich so tief das Schicksal eines fremden Mannes?

Ferdinand. Nicht fremd! Du bist mir nicht fremd. Dein Name war's, der mir in meiner ersten Jugend gleich einem

Stern des Himmels entgegenleuchtete. Wie oft hab' ich nach dir gehorcht, gefragt! Des Kindes Hoffnung ist der Jüngling, des Jünglings der Mann. So bist du vor mir hergeschritten; immer vor, und ohne Neid sah ich dich vor und schritt dir nach, und fort und fort. Nun hofft' ich endlich dich zu sehen, und sah dich, und mein Herz flog dir entgegen. Dich hatt' ich mir bestimmt und wählte dich aufs neue, da ich dich sah. Nun hofft' ich erst mit dir zu sein, mit dir zu leben, dich zu fassen, dich — Das ist nun alles weggeschnitten, und ich sehe dich hier!

Egmont. Mein Freund, wenn es dir wohltun kann, so nimm die Versicherung, daß im ersten Augenblick mein Gemüt dir entgegenkam. Und höre mich. Laß uns ein ruhiges Wort unter einander wechseln. Sage mir: ist es der strenge, ernste Wille deines Vaters, mich zu töten?

Ferdinand. Er ist's.

Egmont. Dieses Urteil wäre nicht ein leeres Schreckbild, mich zu ängstigen, durch Furcht und Drohung zu strafen, mich zu erniedrigen und dann mit königlicher Gnade mich wieder aufzuheben?

Ferdinand. Nein, ach leider nein! Anfangs schmeichelte ich mir selbst mit dieser ausweichenden Hoffnung; und schon da empfand ich Angst und Schmerz, dich in diesem Zustande zu sehen. Nun ist es wirklich, ist gewiß. Nein, ich regiere mich nicht. Wer gibt mir eine Hilfe, wer einen Rat, dem Unvermeidlichen zu entgehen?

Egmont. So höre mich. Wenn deine Seele so gewaltsam dringt, mich zu retten, wenn du die Übermacht verabscheust, die mich gefesselt hält, so rette mich! Die Augenblicke sind kostbar. Du bist des Allgewaltigen Sohn und selbst gewaltig — Laß uns entfliehen! Ich kenne die Wege; die Mittel können dir nicht unbekannt sein. Nur diese Mauern, nur wenige Meilen entfernen mich von meinen Freunden. Löse diese Bande, bringe mich zu ihnen und sei unser. Gewiß, der König dankt dir dereinst meine Rettung. Jetzt ist er überrascht, und vielleicht ist ihm alles unbekannt. Dein Vater wagt; und die Majestät muß das Geschehene billigen, wenn sie sich auch davor entsetzet. Du denkst? O, denke mir den Weg der Freiheit aus! Sprich und nähre die Hoffnung der lebendigen Seele.

Ferdinand. Schweig! o schweige! Du vermehrst mit jedem Worte meine Verzweiflung. Hier ist kein Ausweg, kein Rat, keine Flucht. — Das quält mich, das greift und faßt mir wie mit Klauen die Brust. Ich habe selbst das Netz zusammengezogen; ich kenne die strengen festen Knoten; ich weiß, wie jeder Kühnheit,[1] jeder List die Wege verrennt sind; ich fühle mich mit dir und mit allen andern gefesselt. Würde ich klagen, hätte ich nicht alles versucht? Zu seinen Füßen habe ich gelegen, geredet und gebeten. Er schickte mich hierher, um alles, was von Lebenslust und Freude mit mir lebt, in diesem Augenblicke zu zerstören.

Egmont. Und keine Rettung?

Ferdinand. Keine!

Egmont (mit dem Fuße stampfend). Keine Rettung! — — Süßes Leben! schöne, freundliche Gewohnheit des Daseins und Wirkens! von dir soll ich scheiden! So gelassen scheiden! Nicht im Tumulte der Schlacht, unter dem Geräusch der Waffen, in der Zerstreuung des Getümmels gibst du mir ein flüchtiges Lebewohl; du nimmst keinen eiligen Abschied, verkürzest nicht den Augenblick der Trennung. Ich soll deine Hand fassen, dir noch einmal in die Augen sehn, deine Schöne, deinen Wert recht lebhaft fühlen und dann mich entschlossen losreißen und sagen: Fahre hin!

Ferdinand. Und ich soll daneben stehn, zusehn, dich nicht halten, nicht hindern können! O, welche Stimme reichte zur Klage! Welches Herz flösse nicht aus seinen Banden vor diesem Jammer!

Egmont. Fasse dich!

Ferdinand. Du kannst dich fassen, du kannst entsagen, den schweren Schritt an der Hand der Notwendigkeit heldenmäßig gehn. Was kann ich? Was soll ich? Du überwindest dich selbst und uns; du überstehst; ich überlebe dich und mich selbst. Bei der Freude des Mahls hab' ich mein Licht, im Getümmel der Schlacht meine Fahne verloren. Schal, verworren, trüb scheint mir die Zukunft.

Egmont. Junger Freund, den ich durch ein sonderbares Schicksal zugleich gewinne und verliere, der für mich die Todesschmerzen empfindet, für mich leidet, sieh mich in diesen Augenblicken an; du verlierst mich nicht. War dir mein Leben ein Spiegel, in welchem du dich gerne betrachtetest, so sei es auch mein Tod. Die Menschen sind nicht nur zusammen, wenn sie beisammen sind; auch der Entfernte, der Abgeschiedne lebt uns. Ich lebe dir, und habe mir genug gelebt. Eines jeden Tages hab' ich mich gefreut; an jedem Tage mit rascher Wirkung meine Pflicht getan, wie mein Gewissen mir sie zeigte. Nun endigt sich das Leben, wie es sich früher, früher, schon auf dem Sande von Gravelingen hätte endigen können. Ich höre auf, zu leben; aber ich habe gelebt. So leb' auch du, mein Freund, gern und mit Lust und scheue den Tod nicht.

Ferdinand. Du hättest dich für uns erhalten können, erhalten sollen. Du hast dich selber getötet. Oft hört' ich, wenn kluge Männer über dich sprachen; feindselige, wohlwollende, sie stritten lang über deinen Wert; doch endlich vereinigten sie sich, keiner wagt' es zu leugnen, jeder gestand: ja, er wandelt einen gefährlichen Weg. Wie oft wünscht' ich, dich warnen zu können! Hattest du denn keine Freunde?

Egmont. Ich war gewarnt.

Ferdinand. Und wie ich punktweise alle diese Beschuldigungen wieder in der Anklage fand und deine Antworten! Gut genug, dich zu entschuldigen; nicht triftig genug, dich von der Schuld zu befreien —

Egmont. Dies sei[1] beiseite gelegt. Es glaubt der Mensch sein Leben zu leiten, sich selbst zu führen; und sein Innerstes wird unwiderstehlich nach seinem Schicksale gezogen. Laß uns darüber nicht sinnen; dieser Gedanken entschlag' ich mich leicht — schwerer der Sorge für dieses Land; doch auch dafür wird gesorgt sein. Kann mein Blut für viele fließen, meinem Volke Friede bringen, so fließt es willig. Leider wird's nicht so werden. Doch es ziemt dem Menschen, nicht mehr zu grübeln, wo er nicht mehr wirken soll. Kannst du die verderbende Gewalt deines Vaters aufhalten, lenken, so tu's. Wer wird das können? — Leb' wohl!

Ferdinand. Ich kann nicht gehn.

Egmont. Laß meine Leute dir aufs beste empfohlen sein! Ich habe gute Menschen zu Dienern; daß sie nicht zerstreut, nicht unglücklich werden! Wie steht es um Richard, meinen Schreiber?

Ferdinand. Er ist dir vorangegangen. Sie haben ihn als Mitschuldigen des Hochverrats enthauptet.

Egmont. Arme Seele! — Noch eins, und dann leb' wohl, ich kann nicht mehr. Was auch den Geist gewaltsam beschäftigt, fordert die Natur zuletzt doch unwiderstehlich ihre Rechte; und wie ein Kind, umwunden von der Schlange, des erquickenden Schlafs genießt, so legt der Müde sich noch einmal vor der Pforte des Todes nieder und ruht tief aus, als ob er einen weiten Weg zu wandern hätte. — Noch eins — Ich kenne ein Mädchen; du wirst sie nicht verachten, weil sie mein war. Nun ich sie dir empfehle, sterb' ich ruhig. Du bist ein edler Mann; ein Weib, das den findet, ist geborgen.[1] Lebt mein alter Adolph? ist er frei?

Ferdinand. Der muntre Greis, der Euch zu Pferde immer begleitete?

Egmont. Derselbe.

Ferdinand. Er lebt, er ist frei.

Egmont. Er weiß ihre Wohnung; laß dich von ihm führen und lohn' ihm bis an sein Ende, daß er dir den Weg zu diesem Kleinode zeigt. — Leb' wohl!

Ferdinand. Ich gehe nicht.

Egmont (ihn nach der Tür drängend). Leb' wohl!

Ferdinand. O, laß mich noch!

Egmont. Freund, keinen Abschied.

(Er begleitet Ferdinanden bis an die Tür und reißt sich dort von ihm los. Ferdinand, betäubt, entfernet sich eilend.)

Egmont (allein). Feindseliger Mann! Du glaubtest nicht, mir diese Wohltat durch deinen Sohn zu erzeigen. Durch ihn bin ich der Sorgen los und der Schmerzen, der Furcht und jedes ängstlichen Gefühls. Sanft und dringend fordert die Natur ihren letzten Zoll. Es ist vorbei, es ist beschlossen! und was die letzte Nacht mich ungewiß auf meinem Lager wachend hielt, das schläfert nun mit unbezwinglicher Gewißheit meine Sinnen ein.

(Er setzt sich aufs Ruhebett. Musik.)

Süßer Schlaf! Du kommst wie ein reines Glück, ungebeten, unerfleht am willigsten. Du lösest die Knoten der strengen Gedanken, vermischest alle Bilder der Freude und des

Schmerzes; ungehindert fließt der Kreis innerer Harmonieen, und eingehüllt in gefälligen Wahnsinn, versinken wir und hören auf, zu sein.

(Er entschläft; die Musik begleitet seinen Schlummer. Hinter seinem Lager scheint sich die Mauer zu eröffnen, eine glänzende Erscheinung zeigt sich. Die Freiheit in himmlischem Gewande, von einer Klarheit umflossen, ruht auf einer Wolke. Sie hat die Züge von Klärchen und neigt sich gegen den schlafenden Helden. Sie drückt eine bedauernde Empfindung aus, sie scheint ihn zu beklagen. Bald faßt sie sich, und mit aufmunternder Gebärde zeigt sie ihm das Bündel Pfeile, dann den Stab mit dem Hute. Sie heißt ihn froh sein, und indem sie ihm andeutet, daß sein Tod den Provinzen die Freiheit verschaffen werde, erkennt sie ihn als Sieger und reicht ihm einen Lorbeerkranz. Wie sie sich mit dem Kranze dem Haupte nahet, macht Egmont eine Bewegung, wie einer, der sich im Schlafe regt, dergestalt, daß er mit dem Gesicht aufwärts gegen sie liegt. Sie hält den Kranz über seinem Haupte schwebend; man hört ganz von weitem eine kriegerische Musik von Trommeln und Pfeifen; bei dem leisesten Laut derselben verschwindet die Erscheinung. Der Schall wird stärker. Egmont erwacht; das Gefängnis wird vom Morgen mäßig erhellt. Seine erste Bewegung ist, nach dem Haupte zu greifen; er steht auf und sieht sich um, indem er die Hand auf dem Haupte behält.)[1]

Verschwunden ist der Kranz! Du schönes Bild, das Licht des Tages hat dich verscheuchet! Ja, sie waren's, sie waren vereint, die beiden süßesten Freuden meines Herzens. Die göttliche Freiheit, von meiner Geliebten borgte sie die Gestalt; das reizende Mädchen kleidete sich in der Freundin himmlisches Gewand. In einem ernsten Augenblick erscheinen sie vereinigt, ernster als lieblich. Mit blutbefleckten Sohlen trat sie vor mir auf, die wehenden Falten des Saumes mit Blut befleckt. Es war mein Blut und vieler Edeln Blut. Nein, es ward nicht umsonst vergossen. Schreitet durch! Braves Volk! Die Siegesgöttin führt dich an! Und wie das Meer durch eure Dämme bricht, so brecht, so reißt den Wall der Tyrannei zusammen und schwemmt ersäufend sie von ihrem Grunde, den sie sich anmaßt, weg! (Trommeln näher.)

Horch! Horch! Wie oft rief mich dieser Schall zum freien Schritt nach dem Felde des Streits und des Siegs! Wie munter traten die Gefährten auf der gefährlichen, rühmlichen Bahn! Auch ich schreite einem ehrenvollen Tode aus diesem Kerker entgegen; ich sterbe für die Freiheit, für die ich lebte und focht und der ich mich jetzt leidend opfre.

(Der Hintergrund wird mit einer Reihe spanischer Soldaten besetzt, welche Hellebarden tragen.)

Ja, führt sie nur zusammen! Schließt eure Reihen, ihr schreckt mich nicht. Ich bin gewohnt, vor Speeren gegen Speere zu stehn und, rings umgeben von dem drohenden Tod, das mutige Leben nur doppelt rasch zu fühlen.

(Trommeln.)

Dich schließt der Feind von allen Seiten ein! Es blinken Schwerter; Freunde,[1] höhern Mut! Im Rücken habt ihr Eltern, Weiber, Kinder!

(Auf die Wache zeigend.)

Und diese treibt ein hohles Wort des Herrschers, nicht ihr Gemüt! Schützt eure Güter! Und euer Liebstes[2] zu erretten, fallt freudig, wie ich euch ein Beispiel gebe.

(Trommeln Wie er auf die Wache los und auf die Hintertür zugeht, fällt der Vorhang; die Musik fällt ein und schließt mit einer Siegessymphonie das Stück.)

NOTES

DIE NIEDERLANDE
zur Zeit der
REFORMATION
Englische Meilen
0 10 25 50 75
NORDSEE
ENGLAND
OSTFRIES-LAND
GRONINGEN
Groningen
FRIESLAND
OVER-IJSSEL
BENTHEIM
LINGEN
Egmond
Süder See
Haarlem
Amsterdam
HOLLAND
Leiden
Utrecht
GELDERN
Arnhem
Rotterdam
Leck
Waal
MÜNSTER
SEELAND
CLEVE
Breda
MARK
BERG
Brügge
Antwerpen
Dünkirchen
Gravelingen
DAS FREIE LAND
Gent
Mecheln
Calais
Cöln
Ypern
FLANDERN
Menin
Brüssel
Löwen
LIMBURG
JÜLICH
St.Omer
Comines
Werwick
BRABANT
LÜTTICH
Lüttich
Ryssel (Lille)
Schelde
Namur
Maas
ARTOIS
Bergen
Valenciennes
NAMUR
Arras
HENNEGAU
CAMBRAY
Somme
Oise
Amiens
St.Quentin
LUXEMBURG
Luxemburg
Aisne
Saar
Mosel
Reims
Oise
Marne
Metz
Seine
Paris
LOTHRINGEN
METZ
TOUL

A TABLE OF DATES.

1522. Birth of Egmont.

1555 Charles V. abdicates the government of the Netherlands in favor of his son Philip.

1557 Egmont's victory at Saint Quentin.

1558. Egmont's victory at Gravelines (Gravelingen).

1559 New bishoprics established in the Netherlands.

1563. March 11. Orange, Horn, and Egmont unite in a letter of remonstrance to the king.

December. Fool's-cap livery adopted by noblemen.

1566. April. The "Beggars' League" formed.

August. Riots of the Image-breakers.

1567. April. Last interview between Orange and Egmont. Orange leaves the Netherlands for Germany.

August. The Duke of Alva enters Brussels.

September 9. Treacherous arrest of Egmont.

December. Margaret of Parma leaves the Netherlands.

1568. June 5. Execution of Egmont and Horn at Brussels.

BIBLIOGRAPHICAL NOTE.

THE standard text of *Egmont* is that edited by Professor Jakob Minor of Vienna for the great Weimar edition of Goethe's works, contained in the eighth volume of that series. Professor Minor's text is based upon Goethe's "final edition" of 1827, though corrected by a fundamental study and comparison of the manuscripts and earlier original editions. In the case of one or two readings, Minor subsequently recommended changes in the Weimar text, which are incorporated in this edition. Minor was unfortunately not in possession of a reprint of the first Cotta edition of 1807 which contributed certain errors to all later texts. These have been amended in the present work. For a description of manuscripts and original editions, and a list of variant readings, see the supplement to Minor's text, pp. 340 ff.

Goethe's letters (indexed), diaries, and autobiography, all of which shed much light upon *Egmont*, can be consulted in the Weimar edition. A useful text of the *Italian Journey*, with index and notes, is that of Düntzer* in the Hempel edition of Goethe, vol. 24. The *Conversations with Goethe* edited by von Biedermann (10 volumes, indexed. Leipzig, 1889-1896) offer further original material. Among biographers of Goethe, Heinemann, as always, is a clear and helpful authority for essential facts in condensed form (K. Heinemann, *Goethe*, 2d ed., Leipzig, 1899. Vol. 2, pp. 14–23). Bielschowsky's *Goethe* (Munich, 1898) discusses *Egmont* in the twenty-third chapter of the first volume. Richard M. Meyer's sprightly work on Goethe (2d ed. Berlin, 1898) devotes the fourteenth chapter to *Egmont*. Of interest is also the treatment in Herman Grimm's *The Life and Times of Goethe* (translated by S. H. Adams, 4th ed., Boston, 1893). An especially interesting chapter on *Egmont* as a stage-drama is found in Bulthaupt's *Dramaturgie der Klassiker* (vol. 1, 8th ed., Oldenburg, 1902). Schiller's

* Also his later edition in Kürschner's *D. N. L.*, vol. 102.

review of *Egmont* is reprinted exactly after the original in the sixth volume of Goedeke's critical edition of *Schillers sämmtliche Schriften*, Stuttgart, 1869. Motley's *Rise of the Dutch Republic* is found in many editions by various publishers. A useful condensation in one volume by W. E. Griffis, *The Student's Motley*, supplied with illustrations and notes, is published in New York (Harpers, 1898).

Among annotated editions (with more or less extended introduction) contained in collected editions of Goethe's works may be mentioned that by Schröer in Kürschner's *Deutsche National-Litteratur*, vol. 89, by Geiger in Grote's edition (Berlin), vol. 4, by Strehlke in the Hempel edition of Goethe, vol. 7, and by Matthias in the edition of Goethe's works published by the Bibliographisches Institut (Leipzig), vol. 7.

A number of separate editions of the play, with helpful commentary, are in existence, among which may be especially noted:

L. Zürn. *Egmont; mit Erläuterungen.* 6th ed., Paderborn, 1903, containing a discussion of the drama as a whole, analytical questions upon each scene, and a list of themes for essays and reports. Less complete is Gast's *Goethes Egmont*, Gotha, 1890. To be noted are the elaborate English critical and historical edition by Buchheim (4th ed., Oxford, 1899) and the learned and helpful American editions of Primer, Winkler, and Deering.

For a list of special treatises upon *Egmont*, see Goedeke's *Grundrisz zur Geschichte der deutschen Dichtung*, 2d ed., vol. 4, pt. 1, pp. 676–677. This list is supplemented each year by the *Goethe-Jahrbuch* (Frankfurt am Main. Edited by L. Geiger). For Minor's careful study of the time of composition of the play judged from the style of the various scenes, see *Die Grenzboten*, 42, 361. An extended treatise and analysis is that of P. Klaucke, Berlin, 1887. Düntzer's *Goethe's Egmont erläutert* (4th ed., Leipzig, 1891) contains much illustrative information. Frick's *Wegweiser durch die klassischen Schuldramen* (Pt. 1, Gera und Leipzig, 1892) offers a very full analysis of the dramatic structure. Vollmer, in vol. 11 of Kuenen und Evers' *Die deutschen Klassiker erläutert* (Leipzig, 1895) gives a most convenient collection of original testimony as to the composition of the drama, arranged in chronological order.

NOTES.

Personen.

Page 2.—1, 2, 3. Approximate pronunciation: "*Soost*"; "*Boik*"; "*Roizum.*"

ACT I.

Armbrustschießen.

Tradesmen of Brussels and soldiers — all in cheerful holiday spirits — are discovered at their great annual shooting-match, contesting for the highest prize of the year and the title, "King of the Archers." This popular scene must be read in a broad, hearty style.

Page 3.—1. **Armbrustschießen**; competitive shooting with the crossbow was the most popular of all out-of-door German sports during the sixteenth century; even the nobles came to prefer these prize-contests with "citizens" to the more aristocratic tournaments of the older days of chivalry. There is a very interesting chapter on this subject (X: Die Waffenfeste des Bürgers) in Freytag's Aus dem Jahrhundert der Reformation.

2. **daß es alle wird,** *to a finish!*

3. **Drei Ringe schwarz,** a shot three circles inside a black enclosing ring upon the target.

4. **eure Tage** (accusative plural), *your life-long.*

5. **wär' ich,** *I rather think I am.* Cf. Curme's *Grammar*, 169, 2, A, (1), *c*.

6. **Pritschmeister,** a sort of merry andrew, dressed in fool's costume, and carrying a sword of thin wood (Pritsche). He bows four times to show that Buyck has hit within the fourth ring. In Henne am Rhyn's Kulturgeschichte (1st ed., 2, 191) is a good picture of one Wolffgang Dorsch, a typical Pritschmeister of the 17th century.

Page 4. — 1. **Wie er anlegt,** *as soon as he aims.*

2. **ohne Präjudiz,** *without prejudicing* (*our customs*). Schiller thought that this passage was very typical of the old-fashioned ways of the North-Hollanders.

Page 5. — 1. **Haben . . . geweint;** a vivid account of Charles's abdication in favor of his son Philip is given in Motley's *Rise of the Dutch Republic*, Part I, chapter I.

2. **sein** was formerly used as auxiliary in the passive, and is still employed, as here, after wollen.

Page 6. — 1. **S(ain)t Quintin, Gravelingen,** battles fought against the French: the former in 1557, the latter in 1558. See Motley, Part I, chapter II.

2. **allein,** i. e., not the English allies mentioned a little later by the same speaker.

3. **Egmont,** dative.

4. **Hause mit Hause;** nouns not preceded by articles are uninflected when connected by prepositions.

Page 7. — 1. **wie sie das Wasser schmeckten,** *as soon as they had a taste of the water;* cf. page 4, note 1.

2. **beidlebig,** used to both land and water, *amphibious.*

3. **weggeschossen wie die Enten;** Goethe probably took some of the features in this account not found in the histories of the Netherlands from a sturdy old satirical Swiss ballad about the battle of Murten (1477), describing the defeat of „die Welschen," and containing the lines:

Ein große Schaar lief in den See,
Wiewohl sie nicht mocht dursten.
Sie wateten drin bis an das Kinn,
Dennoch schoß man fast zu ihnn,
Als ob sie Enten wären.

(Contained in Vol. I of Des Knaben Wunderhorn, 2nd ed., No. 27.)

4. **die welsche Majestät,** King Henry II. of France.

5. **das Pfötchen reichen,** *put up his little paw* (like an obedient dog).

6. **Ja, es hat sich,** ironical, *O yes! we'll believe that!* (Deering.)

Page 8.—1. **rüttelt und schüttelt**; there are frequent instances of idiomatic rhyming or alliterative couplets in *Egmont*, for instance: schalten und walten, hangen und bangen, Freund und Feind, Rat und Tat, Wege und Stege.

2. **die neuen Psalmen**; the psalmody of the sixteenth century was a great factor in the spread of Protestantism, and psalm singing was often prohibited. Richard Watson tells of a French tradesman who, when an officer showed him the sweeping edict of the king, wrote at the bottom of the act the first lines of the version of Psalm xxxiv:

> Jamais ne cesserai
> De magnifier le Seigneur:
> En ma bouche aurai son honneur
> Tant que vivant serai.

3. **ihrer**, object in "partitive genitive," referring to Psalmen.

4. **sie** = „diejenigen, von welchen das Verbot ausgegangen ist."

5. **ein geistlich(es) Lied**; the "good old" neuter adjective forms without -es are very common in *Egmont*, e. g.: ein ander Geköch, sein golden Vlies, durch gut Glück, ein kräftig Lied, ungewaschen Maul, sein flehend Auge, welch Gericht, 2c., 2c.

6. **läßt man's lieber sein**, *one prefers to let it alone.*

Page 9.—1. **ein ander Geköch**, *another sort of ragout.*

Page 10.—1. **geblieben**, *fallen* (on the field of battle).

2. **sein' Tage**, cf. page 3, note 4.

3. **Wie wir . . . los waren**; in 1561 Margaret of Parma, the Regent of the Netherlands, had secured the withdrawal of the 3000 troops which had been quartered in the Low Countries. Other idiomatic accusative constructions in *Egmont* similar to Besatzungen are: als wir sie sonst gewohnt waren (64, 12); das heutige Geschlecht wird diesen Jammer nicht los (97, 19).

4. **Gelt**, *I say!*

5. **Vexier' Er sich**, *make a fool of yourself* (*not of me!*).

Page 11.—1. **Kanon**, *canon*, a form of vocal music in which different parts take up the same melody one after another, somewhat as in *Scotland's Burning* or *Three Blind Mice.*

In this fine introductory scene, cleverly worked up from a statement of the historian Strada that Egmont was a sure shot, we are given a clear idea of the state of public feeling, and of the difficult practical problems on hand. We have a direct view of the Dutch people, convivial, open, and brave; we gain indirect impressions of Margaret, prudent but bigoted; of Philip, narrow and intolerant; of Orange, tenacious and broad-minded; and, especially, of Egmont's splendid bravery in war, and his immense popularity. The hope of better conditions is seen to lie in the younger nobility.

Palast der Regentin.

Page 11.—2. **sein** = seien.

3. **umstellen** (inseparable), *to shut in.*

4. **Lehrer** = Prediger.

Page 12.—1. **Sinnen;** Goethe prefers the weak plural. The form Sinne found here in the Weimar edition comes from an inferior text. Sinnen is now obsolete.

2. **wir Großen,** changed in 1807 from wir Große.

Page 13.—1. **Ich erzähle, 2c.;** this description is almost a literal translation from Strada's Latin history. Our picture is from Hooft's *Nederlandsche Historien*, a work studied by Goethe as early as 1775.

2. **Verzeihen,** ceremonial plural.

Page 14.—1. This passage is of interest as being the only one which we know to have been completed as early as 1776. Probably in January of that year Goethe wrote to Frau von Stein: „Geht mir auch wie Margreten von Parma: ich sehe viel voraus das ich nicht ändern kann."

2. **Jede;** in the eighteenth century jed= could be used in the plural.

3. **Friede;** this old form is still allowed in a few expressions without an article, but it is almost always replaced at present by Frieden.

Page 15.—1. **daß Politik selten Treu' und Glauben halten kann**; compare the remark attributed to a certain legislator: "The Decalogue has no place in American politics."

2. **den nächsten besten Weg,** i. e., the Church of Rome.

Page 16.—1. **Das übrige . . . geben,** *the rest would easily follow* (*of its own accord*).

2. **Teilnehmung,** now replaced by **Teilnahme.**

Page 17.—1. **Egmont**; from the town of the same name (Egmond) lying on the coast northwest of Amsterdam.

2. **Geldern,** *Gelderland*, the district to the east of Utrecht.

3. **die neuen Livreen,** see Introduction, page xxv.

Page 18.—1. **Sein Gewissen . . . Spiegel,** *his conscience has an accommodating mirror*, i. e., it reflects everything in the most agreeable light.

2. **es werde sich schon geben,** *it will follow of itself in due time, he thinks.*

3. **das alles Wichtige leicht behandelt**; the kernel of Egmont's "tragic guilt."

4. **sein golden Vlies**; this order, considered the highest in Christendom, had been bestowed on him by Philip's father, Charles the Fifth. In the last scene of Act Third, Egmont tells of the privileges and immunities which went with this decoration.

Page 19.—1. **empfindlich,** *sensitive* (as to any harsh criticism of his public acts).

In this scene is the first appearance of Margaret of Parma, whose words increase our respect and sympathy for her. Her own "intolerance" is of the better sort, based on deep religious feeling. Under the stern authority of her half-brother, the king, she is forced to use harsh measures which her best judgment disapproves. The lawlessness of the mob causes her the utmost agitation and concern. Margaret's private secretary Machiavell (not to be confounded with the Italian statesman Machiavelli) serves as mouthpiece for public opinion, in opposing the aggressions of Spain, and demanding religious liberty. We are given a deep and tragic impression of Egmont's frivolous irresponsibility, overweening confidence, and reckless imprudence in furthering public disturbances, all of which is in striking contrast to the prudence, silence, and firmness of William of Orange.

Bürgerhaus.

Page 19.—2. **sekundiert,** *sings a second part.*

Page 20.—1. **Leibstück,** *favorite piece;* Leib- often indicates that which is especially "near" to one.

2. **gerühret; gespielt,** note the participle in sharp commands.

3. **unwillig,** as usually, *angrily.*

Page 21.—1. **Ich bin übel dran,** *I feel badly.*

Page 22.—1. **Ach, was ist's ein Mann,** *Ah, what a man he is!*

Page 23.—1. **Springinsfeld,** one who acts on sudden impulse, *madcap.*

2. **Ziehst du . . . an?** the Eternal Feminine asserts itself here, in spite of scruples and protestations.

Page 24.—1. **von seinen Leuten** = einige von seinen Leuten.

2. **mich überlief's,** *I felt creepy all over.*

Page 25.—1. **liederlich,** *disreputable.*

2. **Historie,** *story;* pronounce His-to'-ri-e.

Here enters Klärchen, with her energetic will, unbridled spirit, and boundless infatuation for Egmont. With moderate compunction she deceives Brackenburg, her devoted and gentle-spirited lover. His susceptibility proves a source of wretched torment, and leads to the utter paralysis of his best energies. The mother has a mother's natural scruples against her daughter's reckless attachment, but is too weak to assert any strong moral protest. In the background rises the rapidly gathering storm of political revolution.

ACT II.

Platz in Brüssel.

Page 27.—1. **Platz in Brüssel;** this scene, showing an excited crowd being changed into a wild mob, owes very much to the second scene of the third act of Shakespeare's *Julius Cæsar*.

2. **auf der Zunft,** *at the guild.* The trade-unions were highly organized in the middle ages, and had their regular places of meeting, often magnificent buildings of their own.

Page 28.—1. **Tobak,** now Tabak.

2. **Stutzbärte,** *mustaches,* contemptuously of the Spanish soldiers, who cultivated this military ornament.

3. **so wollen . . . tragen,** *we will take the very best care of her.*

4. **Da . . . Griechenland,** *here come the Seven Sages of Greece!* (Ironical.)

5. **Gebt euch mit dem nicht ab,** *have nothing to do with that (fellow).*

Page 29.—1. **pfuscht . . . Advokaten ins Handwerk,** *makes a cheap botch of lawyers' business.*

2. **Branntweinzapf,** lit., "brandy-bung"; trans., *sot.*

3. **Herre,** older form for Herr.

4. **er hielt auf die rarsten Bücher,** *his heart was set on (getting) the scarcest books.*

5. **Ehrfurcht für ihren Fürsten,** usually Ehrfurcht vor ihrem Fürsten.

6. **über die Schnur hauen,** *hew over the line;* exceed his authority.

7. **Die Staaten,** *the Estates:* a parliamentary council made up of representatives of the nobles, the clergy, and the cities.

8. **Landstände,** synonym for Staaten.

Page 30.—1. **Herkommen,** *usages; traditions.*

2. **über das Versäumnis**; where the idea of time is combined with that of cause, über usually governs the dative.

3. **in Zeiten** = beizeiten, *betimes,* before it is too late.

Page 31.—1. **Karl der Kühne,** etc. Charles the Bold, Duke of Burgundy, died 1477; Emperor Frederick III. of Germany (died 1493) came to the rescue of his beleaguered son Maximilian, but was for the rest a peaceful character; he is represented otherwise by Vansen for demagogic effect; Emperor Charles the Fifth, 1519-1556.

2. **Wie,** *whenever;* cf. page 4, note 1.

3. **gaben . . . heraus;** for instance, the citizens of Bruges made a hostage of Maximilian, the son of Frederick III., in 1488.

Page 32.—1. **den Staat,** *the constitution.*

2. **Händel,** (as usually) *disturbances,* a row.

Page 33.—1. **Gelahrten,** older form of **Gelehrten,** with some color of that traditional deference which is generally accorded to the "scholar" in European society.

Page 34.—1. **Eures Zeichens,** adverbial genitive, *of what trade* (*are you*)? **Zeichen** is the emblem of a trade; cf. the opening words of Shakespeare's *Julius Cæsar.*

2. **Ich vergesse niemanden leicht;** this gift is also emphasized in Goethe's *Götz*, Schiller's *Wallenstein*, etc.

3. **übel . . . angeschrieben,** "*in the black-list.*"

4. **stänkern,** *kick up rows.*

5. **scharren . . . nach,** *scrape up.*

Page 35.—1. **Das läßt der König wohl sein,** *the King takes good care to keep clear of that;* cf. page 8, note 6.

In this important Shakespearian scene Goethe succeeds in the hard task of bringing the whole Dutch people, so to speak, on the stage, giving a lively impression of the growing ferment of rebellion which is at work all over the land, and which the lawless classes are eagerly helping along. While the crowd is typical of the entire people, each person is a clearly drawn individual: Vansen, a cheap demagogue, whose low appeals soon work up the "easy" crowd into a tornado of violence; the carpenter, conservative and decent; Soest, discontented and talkative; the soap-maker, timid;

Jetter, cowardly. Egmont comes in against the background of disorder and violence, like a rainbow upon a black sky. His splendid imposing presence, as well as his well-known interest in the Dutch people immediately quell the rising mob. (Compare the passage in the *Æneid*, I, 148–153.) Equally effective are the vivid touches at the end, by which an idea is given of the appalling horror which overhangs the whole country.

Egmonts Wohnung.

Page 37.—1. **Dem mag's noch hingehn,** *let it pass in his case!*

Page 39.—1. **Gnadengehalte;** der Gehalt, pl. die Gehalte, which was the usual form in the 18th century, is not infrequent in South German now, but is elsewhere replaced by **das Gehalt,** pl. **die Gehälter.**

Page 40.—1. **Gib mir den Brief;** it is generally believed that Goethe had in mind the fatherly advice given him by the poet Klopstock in regard to his wild pranks during the early months of his life at Weimar. Goethe's rather sharp letter in answer to Klopstock's reproofs is printed in the Weimar edition under the date May 21, 1776.

2. **das ist mein Glück,** note the "tragic irony": what Egmont believes to be his "good fortune" is the very thing which is to wreck his life.

3. **der neuen bedächtigen Hof-Kadenz,** *the new-fashioned, cautious tempo set by this court.*

Page 41.—1. **die alten Märchen,** see Introduction, page xxv.

2. **Unnamen,** absurd name; i. e. "*les Gueux,*" *the beggars.*

3. **des An- und Ausziehens,** *dressing and undressing.* Goethe tells somewhere of an Englishman who committed suicide in order to get rid of this tiresome everyday routine.

Page 42.—1. **Schenke mir,** *dispense with,* "*cut out.*"

2. **Kind! Kind! . . . woher er kam.** This passage forms the close of Goethe's autobiography. According to the (somewhat

doubtful) account which he gives there, he quoted these words (which he says had been written a short time before) in taking summary leave of Demoiselle Delf, a managing elderly friend who insisted on preventing his removal to Weimar early in November, 1775.

3. **ein selbst verfehlter Schritt,** *a misstep of my own.*

Page 43.—1. **frei,** *disengaged.*

2. **gelassen,** *calmly;* a favorite word of Goethe's, especially in his mature years of "classic serenity."

Page 44.—1. **Herkules,** *Hercules,* doing menial service for the Lydian queen, Omphale, spun wool for her, while she wore his lion's skin.

2. **Kunkelhof,** *spinning-circle.*

3. **unterhalten = aushalten, ertragen,** *endure;* rare in this sense.

4. **in alten Familienverhältnissen;** Margaret was connected with the Italian families of Medici and Farnese, which lived in continual strife with each other.

5. **Ihr sie habt zurücktreten sehn,** notice the syntax.

6. **Planen,** the plural of Plan is now Pläne.

7. **jene Hindernis;** in the 18th century this word was also neuter; now regularly so.

Page 46.—1. **Panier,** *standard;* pronounce in two syllables, Pa-nie'r.

Page 49.—1. **ungleich,** *unfairly; unjustly.*

Page 50.—1. **ein freundlich Mittel,** i. e., the society of Klärchen. Schiller was much scandalized at the unconcern shown here by the "hero" at a time of supreme national peril. It is easy to sympathize with Schiller's view.

The "demonic" element (according to Goethe, the central feature in this tragedy), by which Egmont is borne along, in blind and reckless confidence, to surrender his will to his easy natural instincts in spite of plain and frequent warnings, is fully developed, as well as the fact that Egmont's natural instincts are generous and good-natured. The latter part of the scene (based on fact) gives the only appearance which Orange makes on the stage, and furnishes a clear impression of his insight, courage, devotion, and friendship.

ACT III.

Palast der Regentin.

Page 52.—1. **der gar keine Raison annimmt,** *who will not put up with any argufying.*

2. **fertig werden,** *set things to rights.*

3. **Und ich möchte mich verstellen,** *and I (you think) wish to dissimulate!*

Page 53.—1. **auf dieser Tapete gewirkt sähe;** it is conceivable that Goethe took the hint for this passage from Letter XLIII in the first volume of Richardson's *Clarissa Harlowe*, where the heroine gives a description of an imagined family council.

2. **Toledaner,** i. e., Alva; his title was Ferdinando Alvarez de Toledo.

Page 54.—1. **schief,** *crooked,* i. e., not straightforward. (Buchheim.)

Page 55.—1. **wer's hergebracht hat,** *one who has made it a second nature by habit.*

Margaret is irritated, wounded, and sensitive at the judgment passed in Madrid, that she has failed in her government of the Netherlands. She knows how conscientiously she has carried her responsibilities, and believes that any lack of success is due to ignorant interference. She shows political foresight and dignity of character. Philip's narrow policy of hard repression is foreshadowed, as well as the appearance of the Duke of Alva, and his method of gradually crowding the Regent out of her place of authority.

Klärchens Wohnung.

Page 56.—1. **Freudvoll . . . sein;** this airy song, which has no particular grammatical "construction," is a lyric phrasing of the delights and torments of romantic passion (like Emerson's "Love, red Love, with tears and joy"), plus the comment that "all other pleasures are not worth its pains." Professor Curme has pointed out the similarity to a beautiful passage of the Minnesinger Walther von der Vogelweide:

> trûren unde wesen frô,
> sanfte zürnen, sêre süenen, deis der minne
> reht: diu herzeliebe wil alsô. (Lachmann, 70, 5-8.)

The facsimile is from Goethe's manuscript of the play in the Royal Library in Berlin, from which is also taken the manuscript title to this book.

2. **Langen,** *yearning;* this old infinitive is very rare alone, but familiar in the compound, ver=langen.

3. **Heiopopeio,** "*Sleep-baby-sleep song.*"

4. **schlafen,** note the infinitive depending upon **wiegen,** which seems to have escaped the notice of grammarians; it is probably a corrupted present participle.

Page 58.—1. **Zuzeiten,** *at times;* cf. page 30, note 3.

Page 59.—1. **steht in einem prächtigen Kleide da;** this whole scene was closely imitated by Walter Scott in *Kenilworth*, chapter 7, as Goethe himself easily detected.

2. **spanisch zu kommen,** *to come in Spanish court-dress;* in the frontispiece, which was prepared in Rome by Angelika Kauffmann, Egmont's costume is much plainer than is usual on the stage.

3. **Passementarbeit,** *passementerie;* elaborate trimmings of braid and beads.

4. **mit Müh' und Fleiß;** the motto of the Order of the Golden Fleece was, *Pretium laborum non vile.*

Page 60.—1. **für sie** = für das Volk.

Page 61.—1. **Ich könnte . . . nicht finden,** *I could never get to feel at home in that world.*

Page 62. — 1. **Jener Egmont,** i. e., the Egmont who has to bear the burdens of public office.

2. **ihm . . . beikommen,** *get the better of him.*

3. **dein Egmont,** i. e., the Egmont you are aquainted with.

4. **auf,** *after.*

Klärchen confidently asserts the "natural rights" of the emotions; the magnificent Egmont responds to the claim, in spite of any established codes of conduct or differences in social rank.

ACT IV.

Straße.

Page 63. — 1 **von Neuem,** *about anything new; "de novis rebus."* (Minor.)

Page 64. — 1. **eine andre Art von Krebsen,** lit., "another sort of crabs"; trans., *an altogether different thing.* The expression (used elsewhere by Goethe) is said to be taken from a Dutch proverb: "'Here's another sort of crabs,' quoth the farmer, as he carried bull-frogs to market." One naturally recalls the passage from *Trilby:* "But then, there's Alice's papa — and that's another pair of sleeves, as we say in France."

2. **ausgegrätschten,** *straddling.*

Page 65. — 1. **fürbaß,** (old form) *further; away;* **weiter.**

2. **Juckt Euch der Buckel wieder,** *is your back itching again (for a flogging)?* So in Der böse Rauch of Hans Sachs:

Thut dich der Buckel wider jucken.

3. **sein' Tage,** as stereotyped phrase, used here for **meine Tage,** *my life long;* cf. page 2, note 4.

Page 66. — 1. **(irgend) wo anders,** i. e., am Galgen.

2. **vor wie nach,** usually nach wie vor, *hereafter just as before.*

3. **Gevatter Tropf,** about equivalent to *thanks awfully, my dear blockhead!*

Page 67. — 1. **Red't Ihr,** *how you talk!*

2. **Courage,** pronounce as in French.

3. **sich schneuzen,** *being snuffed out.*

4. **den Inquisiten,** *the one who is being examined.*

Page 68. — 1. **an den man (kommen) wollte,** *that they wanted to get hold of.*

2. **zum Schelmen;** Schelm is now a strong noun, although the older weak form survives in such compounds as Schelmenstreich.

3. **frisch,** *sturdily, stoutly;* cf. "'Tis a quick lie, sir." *Hamlet*, V, 1.

4. **wir,** i. e., the inquisitors.

5. **einen . . Vogelschen,** now eine Vogelscheuche.

6. **wenn . . . sehen;** the whole of the passage has suggestions of the long list of captious questions addressed to Egmont and Horn after their arrest; see Motley, Part III, chapter II.

7. **Nachdem die Spinnen sind,** lit., "according as the spiders are"; trans., *that depends upon what sort of spiders you have.*

Page 69. — 1. **gehangen,** now more often **gehängt;** the preterites hing and hängte (transitive) are both used. The intransitive verb is strong throughout.

2. **ausgepichte,** lit., "smeared with pitch" (as a cask); hence, *tough, seasoned, hardened.*

With the report of Alva's arrival we have a hint as to his plans, and a heightened sense of the helpless terror which is fast settling down upon the people. Vansen's sly shrewdness, Jetter's horror, timidity, and "innocence," and the Master Carpenter's grave concern are given striking expression. The ways and means of tyrants are also held up to view.

Der Culenburgische Palast.

Page 69. — 3. **tägliche;** Goethe's usage varied in the employment of strong or weak forms after alle in the plural.

Page 70. — 1. **der Alte,** *the same as of old.*

2. **einem frohen freundlichen Menschen,** i. e., Egmont.

3. **Königlichen und Ketzer,** in apposition with die Franzosen. Ketzer refers to the Huguenots, who were frequently at war with the Catholics. Die Verbundnen are the people of Geneva, who were allies of the Swiss Confederation.

4. **gleichsam,** *as it were; so to speak.* A favorite word of Goethe's for lessening the boldness of a strong expression — here durchschmiegte.

Page 71.—1. **Ferdinand;** for the most part Ferdinand is a creation of the poet; for the historical original, see Introduction, page xviii.

Page 72.—1. **fahen,** archaic for fangen.

2. **Ich stelle sie,** *I'll halt them;* stellen when used in hunting means, to bring a wild animal to bay.

3. **politisch,** *for reasons of policy.*

Page 73.—1. **Alba . . . hervortretend;** in Goethe's diary (W. III, I, 72, 73) we find the following under December, 1778, showing the date of working upon this act:

5. Alba und Sohn . . .

13. Früh Monolog Albas.

Page 75.—1. **den Sinn auszudenken,** *to reason out the intention* (*which underlies any given command*). Minor restores auszudenken from Goethe's manuscript, in place of auszudrücken of the printed texts.

Page 76.—1. **der Kluge . . . klug zu sein,** *the prudent man was prudent enough to abandon his prudence.* According to everyday rules, it would have been the "prudent" thing for Orange to have obeyed Alva's order. This time he was prudent enough (in a higher sense) to risk the "imprudence" of disobeying.

2. **Seigers,** archaic form for Zeigers, *hand* (*of a clock*).

3. **scheute vor dem Blutgeruche;** the Germanic belief that the shying of a horse is an omen that he is carrying his rider to misfortune, is very old. So in Shakespeare's *Richard III.*, III, 4:

> Three times today my foot-cloth horse did stumble,
> And started when he look'd upon the Tower,
> As loath to bear me to the slaughter-house.

In Goethe's *Götz von Berlichingen*, II, 3:

Das Pferd scheute, wie's an die Brücke kam, und wollte nicht von der Stelle.

In Kleist's *Prinz Friedrich von Homburg*, l. 379:

Sein Rappe scheute an der Mühle sich.

In Felix Dahn's *Kriemhilde:*

Sieh, es bäumt sich, König Gunther, wild dein Hengst vor meiner Brück' —
Klopf' ihm nur den Nacken munter, — niemals trägt er dich zurück!

Page 77.—1. **Egmont tritt auf**; the following dialogue was probably (after the opening exposition of the drama) the first scene which Goethe attacked in 1775.

Page 79.—1. **abzulehnen,** lit., "to parry"; trans. *to resent.*

Page 80.—1. **mit dem Nächsten,** *with his own immediate concerns.*

Page 81.—1. **das an den Blicken seines Herrn altert,** i. e., the tribe of courtiers, which does not become prudent (alt) through its own experiences but uses all its intelligence in studying how to humor the whims of the king. (Geiger.)

2. **rund für sich,** *complete in himself;* cf. Horace's

. . . *et in se ipso totus teres atque rotundus* (*Satires*, II, 7, 86).

3. **unterdrücken,** accent both prefix and verb; — why?

Page 82.—1. **diese alten Rechte . . . durchschleichen kann;** compare certain safeguards of personal liberty in our Constitutions which are used to protect greed and selfishness.

Page 83.—1. **sie** = das Volk; cf. page 60, note 1.

Page 84.—1. **es wegzugeben,** *to dispose of it.*

The machine-like Spanish organization by a sudden well-timed snap secures the capture of Egmont, the hero and idol of the whole people. Here, at the close of the Fourth Act, is introduced for the only time the steel-hard Duke of Alva, who overbears Egmont's liberal views, and makes a plausible defence of despotic theory and of the crooked ways of "practical" politics. "Perhaps the whole modern Science of Government has produced nothing more important than this dialogue", says a respectable authority.

ACT V.

Straße.

Page 87.—1. **von Quartier zu Quartier** (pronounce Quar=tie'r in two syllables), one might translate, *from ward to ward.*

2. **eine Handvoll,** note that the gender is taken from Hand.

3. **In diesen . . . gelesen**; many passages in this part of the play are in "blank verse," which is taken as an indication that they belong to the latest parts of the composition.

Page 88.—1. **da hielten . . . reiten mußte**; compare Marullus's speech in the first scene of Shakespeare's *Julius Cæsar.*

2. **lebten,** transitive, in sense of erlebten.

Page 89.—1. **Gevatter,** lit., "fellow sponsor in baptism"; say *neighbor; mate.* Cf. page 66, note 3.

Klärchen, in her utter devotion, is carried to the very limit of personal and patriotic daring, but her appeals are in pitiable contrast to the timidity of the people. The helplessness of Brackenburg, who is of better stuff than the common crowd, is no less tragic.

Gefängnis.

Page 91.—1. **Egmont allein**; the "blank verse" is very noticeable in the following monologue.

Page 92.—1. **Segen der Gestirne,** allusion to the astrological belief in the favorable working of certain planets.

2. **dem erdgebornen Riesen,** Antæus, who could not be overcome as long as he touched the earth.

3. **hilflos,** the reading of Goethe's manuscript, adopted by Minor.

Egmont, the fresh-hearted, free "child of nature," feels the horrible oppression of the dungeon-trap into which he has fallen. He revives his sinking spirits by the tragic delusion that he is to be rescued soon.

Klärchens Haus.

Page 93.—1. **Klärchens Haus**; an entire day lies between the last scene and this one.

Page 94.—1. **Er war der reiche Mann,** allusion to Nathan's parable of the ewe lamb, *II. Samuel* xii, 1–4.

Page 95.—1. **ihres** = seines, referring to Volk; cf. page 60, note 1, and page 83, note 1.

Page 96.—1. **er führt ihn . . . sanft und still,** allusion to Peter's deliverance from prison, *Acts* xii, 7–10; Goethe drew largely from the Bible at all periods of his career.

Page 97.—1. **aus der kein Rückweg ist**; cf. from Hamlet's soliloquy, Act III, scene 1:

> The undiscovered country, from whose bourn
> No traveller returns.

2. **dein Herz,** subject.

3. **du verlangtest**; „du" disappeared in an unauthorized edition, after having been apparently inserted by Goethe in the carefully prepared text of his works, 1807.

Page 98.—1. **die Zeiger,** *the hands* (*of the clock*); cf. page 76, note 2.

Page 99.—1. **Wohnungen,** *abodes* (*of the blessed*).

The drama goes over into sonorous melodrama: even the sorry Brackenburg takes on the organ-tones. Along with Klärchen's frenzied outbursts comes the foretelling of Egmont's sure doom. Brackenburg, most a lover when without hope, fully realizes, for the first time, his helpless inferiority to his rival. Klärchen's life goes out amid plaintive chords.

Gefängnis.

Page 100.—1. **Heinrich**; Goethe had a fondness for this German name, as shown in *Faust.* Egmont's first name was really Lamoral.

2. **Gerichts der Zwölfe,** *Council of Twelve,* the so-called "Blood-Council"; see Motley, Part III, chapter I.

3. **dein Haus zu bestellen,** *to set thine house in order;* another Biblical allusion, *Isaiah* xxxviii, 1: **Bestelle dein Haus; denn du wirst sterben, und nicht lebendig bleiben.**

Page 101.—1. **Schon damals;** the following story is taken directly from Strada's history.

2. **die Ärgernis,** note the gender here.

Page 105.—1. **Kühnheit,** dative of reference.

Page 107.—1. **sei,** although **werden** is the usual auxiliary of the passive, the older conjugation with **sein** survives in the second and third person of the imperative; cf. page 5, note 2.

Page 108.—1. **geborgen,** *sheltered; provided for.* The short and easy way in which Egmont passed Klärchen on to Ferdinand was a great offence to the cultured ladies who belonged to Goethe's intimate circle in Weimar.

Page 109.—1. **Er entschläft . . . behält;** Goethe had his own grounds for introducing this fantastic symbolism upon the stage, where a hard-and-fast naturalism must fetter the expression of the poetic ideal. Schiller found grave fault with it here, although later, in the preface to his *Bride of Messina* (1803), he pleaded eloquently for delivering the stage from the bonds of reality. The deepest truths of nature, he argued, are not those which are perceived by our senses in their everyday experiences. The creative imagination of the poet must reveal to us the higher moral laws of the universe.

Page 110.—1. **Freunde;** Egmont's fellow-countrymen outside the prison. For a moment he imagines himself back upon one of the great battlefields where he had led his own people to victory, and now he shouts to them to follow him in a glorious attack.

2. **euer Liebstes,** i. e., civil liberty.

Egmont's doom is irrevocably pronounced. A new episode brings in the tyrant's son, whose love and admiration for the hero prove a satisfying moral victory at the very moment of the ruin of Egmont's material fortunes. Death is bitter to one who has drunk so deeply of the joys of living, and he rebels against his unjust lot, but he is helped to meet it by his noble, new-found friend. Before the end comes, the lovely, sympathizing face of Klärchen appears in a shining vision, and she makes the hard sacrifice easy by showing that his death is to bring deliverance to the commonwealth. The hero's bravery reasserts itself, and he faces death, as he had so often faced the enemy on the battlefield, with a soldier's light-hearted joy, which rises almost to hilarity.